Zoé entre deux eaux

Du même auteur

La ruelle effrayante, roman-jeunesse, Collection
   Papillon, 1990.

Chez d'autres éditeurs:

L'amant de Dieu, nouvelles, éditions La Presse,
   1979.

Le cas Lembour, nouvelles, Maison des mots,
   1984.

Une course contre la montre, roman-jeunesse,
   éditions Fides, 1989. Prix d'excellence,
   Association des consommateurs du Québec
   «Livres 90».

Émilie, la mouche à fruits, conte, éditions
   Michel Quintin, 1990.

Claire Daignault

Zoé entre deux eaux

roman

ÉDITIONS PIERRE TISSEYRE
5757, rue Cypihot — Saint-Laurent, H4S 1X4

Dépôt légal: 2e trimestre 1991
Bibliothèque nationale du Canada
Bibliothèque nationale du Québec

Données de catalogage avant publication (Canada)

Daignault, Claire

Zoé entre deux eaux

(Collection Conquêtes)
pour les jeunes de 10 à 14 ans

ISBN 2-89051-433-1

I. Titre. II. Collection.

PS8557.A43Z63 1991   jC843' .54   C91-096190-5
PS9557.A43Z63 1991
PZ23.D34Zo 1991

Maquette de la couverture :
Le Groupe Flexidée

Illustration de la couverture :
Ronald Du Repos

IMPRESSION 〰 METROLITHO

*À Mado
qui connaît toutes
mes histoires de pêche*

1

L'effet Niagara

Avez-vous déjà été obligés de fouiller dans un sac de vidanges? Ce n'est pas une expérience à s'en lécher les doigts, hein? Surtout quand le sac a passé la nuit dehors, qu'il est éventré et dégoulinant de partout. Lorsqu'en plus, on doit se taper les déchets répandus sur le gazon, c'est le gros lot! Tout ça sur les recommandations de votre mère qui guette par la fenêtre et l'œil narquois de votre chat qui rentre d'une vadrouille, la queue en l'air et l'air innocent.

Ce n'est pas par esprit de sacrifice que je jouais dans les coquilles d'œufs, les papiers mouchoirs bouchonnés, les boîtes de conserve poisseuses, les cartons de lait défoncés, les croûtes détrempées, les trognons de pommes, les épluchures de patates, les peaux de bananes, les os de poulet, les restes de tartines aux confitures et aux touffes de poils, les couches du petit dernier, et j'en passe pour n'écœurer personne. Non, j'avais une super-raison, vous pensez!

Je croyais y avoir jeté par mégarde la clé de mon casier d'école. La veille, pendant la récré, Charlotte Chaput m'avait prêté un livre avec la photo de son *chum* dedans. Après les cours, j'avais laissé le bouquin dans mon casier cadenassé. Le lendemain quand je suis venue pour ouvrir, la tuile, plus de clé! Sur ces entrefaites, Charlotte est entrée dans le vestiaire et m'a réclamé la photo de son bien-aimé.

— C'est quoi la *joke*, Zoé Lépine? qu'elle a tempêté lorsque je lui ai annoncé que je ne pouvais pas la lui remettre.

— C'est pas une *joke*, j'ai égaré ma clé de casier, j't'e dis! Pis je me souviens plus où...

— L'Alzheimer te guette, ma vieille! a-t-elle persiflé comme un serpent à sonnettes.

— Je vais regarder dans mes affaires, ce soir. Sûrement que je vais la retrouver.

— T'es mieux! riposte-t-elle sur le gros nerf.

Elle s'est collée à moi comme une sangsue jusqu'à la maison. Dans la soirée, elle m'a appelée dix fois. C'était rien pour m'aider à recouvrer la mémoire. Je parvenais pas à me concentrer. À la fin, je lui ai dit de respirer par le nez et j'ai raccroché. Y a des limites!

— La nuit porte conseil, a déclaré ma mère. Va te coucher, demain ça te reviendra.

Vous savez quoi, elle avait raison! Malgré le talonnement de Charlotte, j'ai dormi comme une souche. Au matin, eurêka! En ouvrant un œil, ça m'est revenu d'un bloc. Je me suis revue, l'avant-veille, en train de manger ma collation, une orange. J'ai pris l'écorce, en même temps que ma clé sur la table, et j'ai balancé le tout dans la poubelle. Voilà où ça mène les excès de propreté!

J'étais contente de me l'être rappelé. Je me suis étirée d'aise dans mon lit, quand un bruit épouvantable m'a figée: celui d'un camion compacteur. On était vendredi, la journée des vidanges!

J'ai bondi; en une seconde, j'étais dehors, la jaquette au vent. Deux sacs à moitié déchirés bordaient le parterre. Le camion tournait au coin comme un gros insecte vorace, les antennes pointées. Je me suis précipitée, j'ai saisi les sacs par leur bout tortillé et je les ai traînés sous le porche.

Ma mère qui m'avait vue traverser la cuisine, devinant le pourquoi de mon sprint, a simplement entrouvert la porte et m'a lancé:

— Tant qu'à y être, ramasse donc les morceaux sur la pelouse!

Et voilà où j'en suis à présent, les mains sales, mais la conscience propre. Ça fait une demi-heure que je passe les détritus au peigne fin pour récupérer la «clé du bonheur»

11

de Charlotte. Vous comprenez, une clé, c'est mince. Il faut y aller mollo, palper soigneusement. J'entame seulement la moitié du premier sac et j'endurerais presque un masque à gaz! Par chance que je n'ai pas encore déjeuné... Heureusement aussi que mes cours ne commencent qu'à dix heures, aujourd'hui. Je m'apprête à attaquer le deuxième sac, pour changer, quand Charlotte se pointe. De bonne heure sur le pont, la Charlotte! Comme elle habite en face, sans doute qu'elle m'a aperçue en train de tripoter les ordures.

— T'es rendue clocharde sur les bords, qu'elle ironise.

— Ris pas, la clé de mon casier est là-dedans.

— Hein! fait-elle sceptique.

— J'te jure! Je suis en train de risquer ma vie en farfouillant dans les microbes pour que tu puisses revoir la binette polaroïd de ton *chum*, le beau Martin Lebeau. Peut-être que tu pourrais me donner un coup de main, qu'est-ce que t'en penses?

Elle a un mouvement de recul. Pas trop portée sur les rebuts, on dirait.

— Tes salades, elles me défrisent, Zoé Lépine!

— C'est rien, t'aurais dû voir celles que j'ai retirées du premier sac. Elles avaient perdu leur permanente, j'te garantis!

12

Garder son sens de l'humour coûte que coûte, telle est ma devise! Même quand on a envie d'étriper...

À contrecœur, Charlotte fait un pas vers le premier sac et le secoue pour zieuter son contenu.

De mon côté, j'entreprends l'autopsie du second sac. Tiens, il est moins odorant, celui-là. Il renferme davantage de matières sèches. Ça explique qu'il n'ait pas été complètement déguisé en passoire par les bestioles. Il m'a l'air de se composer de chiffons tachés de cirage et de beaucoup de papiers froissés. Tant mieux, c'est moins dégueulasse. Probablement le contenu de la corbeille à papier de mon père. Il travaille dans l'assurance et les paperasses, ça le connaît!

J'extirpe donc des guenilles et des boulettes de papier, quand le bas d'une feuille attire mon attention. Ça finit par: *Je t'embrasse. Cloclo.*

Personnellement, je ne connais pas de Cloclo. Ça m'intrigue. Je défripe la feuille et me rends compte qu'il s'agit d'une courte note:

Rendez-vous à ton bureau, tel que prévu. J'ai hâte de faire ce voyage avec toi. Tu m'as tellement manqué! Je t'embrasse. Cloclo.

Ce n'est pas l'écriture de mon père, ni celle de ma mère. Il y a remue-méninges à l'entrée des données de mon ordinateur particulier. Côté déduction, pas besoin de me faire un dessin; j'y vois déjà aussi clair que sur un écran lumineux, quand Charlotte me parasite les ondes:

— Ça y est, je l'ai!

Elle tient un demi-pamplemousse évidé dans lequel ma clé de casier a fini par aboutir, entre deux pépins. Joli écrin.

— Hip, hip, hip, hourra! que je marmonne sans trop de pep.

— Ben quoi, tu devrais être fière. Fini de jouer dans les cochonneries.

— Ça reste à voir...

Et je lui tends le mot doux.

— Qui c'est, Cloclo? qu'elle interroge.

Froidement, je réponds:

— La blonde de mon père, qu'est-ce que tu crois?

— Hein! fait Charlotte en Saint-Thomas.

— Pas besoin d'être Einstein pour comprendre. Mon père est censé partir à la pêche, ce week-end. Avec un courtier du bureau, qu'il prétend. Mon œil!

— Eh ben... rajoute Charlotte, pleine d'originalité.

— Tu veux que je te dise: m'est avis que le poisson, c'est ma mère et qu'il s'en va rejoindre une sirène!

— J'ai mon voyage! sympathise Charlotte de bon ton.

Sous mes sarcasmes, je suis vraiment à plat. Des tricheries, des séparations, des divorces, il en pleut. Pourtant on croit toujours que c'est pour les autres. Nos parents, c'est pas leur genre qu'on se persuade. Jusqu'à ce que ça nous pète dans la face.

Charlotte récidive, pas convaincue:

— Peut-être que tu vas un peu vite en affaires, Zoé. Tu sais comment t'es. Tu vois des histoires partout. Des fois, tu les inventes.

— Et le billet doux, je l'ai inventé!? Un plus un, ça fait deux, Charlotte Chaput! Y a pas à revenir là-dessus!

Sur ce, on entend Nicolas, mon petit frère d'un an et demi se pomper. Un coup monté de mes parents pour me transformer en gardienne; «m'apprendre à partager», qu'ils moralisent. En réalité, avant de dévaler la pente, ils se sont bricolé un bâton de vieillesse. Et il ne sent pas toujours bon, ce bâton! Heureusement qu'il a la peau douce, des fossettes terribles et le sourire qui va avec.

De la fenêtre de la cuisine, ma mère me tend son piège habituel:

— Zoé, viendrais-tu prendre Nicolas, une petite minute?

— Hon! laisse-moi le prendre à ta place, quête Charlotte qui a un faible pour les joufflus.

Ce qu'on vient de découvrir sur mon père, ça lui fait pas un pli. On voit que ça ne concerne pas ses parents. Elle ne pense qu'à faire des guili-guili, tandis que moi, je suis tout à l'envers. Pourtant mon côté belette l'emporte. J'aime bien savoir. L'autruche, pas mon style! Si mon père compte monter un bateau à ma mère, il va s'apercevoir qu'on ne m'embarque pas aussi facilement!

On entre. Ma mère est en train de réchauffer les céréales de Nicolas. Il est dans sa chaise haute, la bavette ratatinée, congestionné à force de s'époumoner.

— C'est Charlotte qui va le prendre, m'man.

— Ah! bonjour, Charlotte! fait ma mère.

Je flatte Gaston, mon chat tigré, qui se fait les griffes sur un barreau de chaise; puis je me lave les mains. Je me verse ensuite un verre de jus et j'enduis tranquillement une tranche de pain de beurre de noisette. Après un regard en coulisse à Charlotte, j'amorce:

— Papa est déjà parti?

— Tôt, ce matin.

Mine de rien, j'enchaîne:

— Tu connais le courtier avec qui il va pêcher en fin de semaine?

— Claude Chapleau. Un gars avec qui il s'est pas mal tenu dans le temps. Il a un chalet au lac Manouche, dans les Cantons de l'Est. C'est là qu'ils vont.

Claude Chapleau. J'en ai le beurre de noisette qui vire en margarine.

Charlotte, moins vite sur ses patins, gazouille encore avec Nicolas.

— Claude Chapleau, tu dis!? que je répète très fort.

— Claude Chapleau, confirme ma mère en actionnant le grille-pain.

Ça y est, le déclic s'opère dans le cerveau de Charlotte. Il lui sort un peu de fumée par les oreilles, mais ses circuits ont l'air intacts. Ses «gagaga» s'espacent et la voilà baba. Muette comme une carpe, avec la bouche ouverte. Sûrement qu'elle ferait des bulles, si je lui plongeais la tête dans le bol de mon carassin doré (ne vous faites pas de complexes, c'est le nom usuel du poisson rouge).

Claude... Cloclo... Ça se dit tout seul. Mon père ne s'en va pas rejoindre une morue, mais un maquereau! (Avec un père amateur de pêche, je suis ferrée en noms de poissons!)

Une croûte se coince dans mon gosier comme une arête. Je m'étouffe. Je crache, je tousse, je hoquette, je larmoie...

— C'est passé par le mauvais tuyau? s'enquiert ma mère en me tapotant le dos. Mange donc moins vite, aussi!

Je récupère couci-couça, en reniflant. Tout content, Nicolas bat des menottes en babillant. Il a pris ma séance d'asphyxie pour des bouffonneries. Voilà qu'en gesticulant, il accroche les lunettes de Charlotte et les expédie dans ses flocons d'avoine ramollis. Débalancée, Charlotte marche sur la queue de Gaston qui miaule au meurtre et grimpe dans les bas de ma mère, laquelle laisse échapper le pot de lait. Là-dessus, le grille-pain évacue une fumée noire et le téléphone sonne.

Le bordel!

Les yeux pleins d'eau, je ne peux m'empêcher de songer que pour compléter le tableau, il ne manque que mon père en travesti...

2

Larguez
les amarres!

En plein vaudeville, c'est moi qui cramponne le téléphone. Justement c'est mon père, le grand pêcheur, au bout de la ligne.

— Ta mère est là, Zoé? demande-t-il tout de go.

Je laisse échapper un petit «oui» chevrotant et je tends l'appareil à ma mère. Mon audace a fondu subitement. Je ne sais plus trop comment lui parler, à mon père. Mais ça ne m'empêche pas de tendre l'oreille. D'après ce que je peux saisir, il rappelle à ma mère de lui sortir sa chemise en flanelle, au cas où il ferait frisquet sur le lac.

Il se prépare à faire une entourloupette à ma mère et il lui demande de l'aider! La moutarde me monte au nez, même si on n'est qu'au déjeuner. Avant que ma mère ne pose le combiné, je l'empoigne à l'emporte-pièce et j'interroge à brûle-pourpoint:

— Tu m'amènes à la pêche, p'pa?

Il reste sans voix.

— Depuis le temps que tu veux m'apprendre à pêcher. C'est l'occasion. Je suis sûre que ton ami dirait rien. Charlotte va venir avec moi. On va apporter nos sacs de couchage.

— Une autre fois. Là, je serai pas seul.

— Pis après? que j'insiste.

— Une autre fois, coupe mon père, agacé. Maintenant, je te laisse, j'ai un client.

Et il raccroche.

S'il pense s'en tirer comme ça!

J'essuie sa rebuffade avec aigreur, comme le lait répandu sur le plancher. Quant à Charlotte, elle repose Nicolas dans sa chaise haute et récupère ses lunettes en me jetant une paire d'yeux. Je comprends le message et j'annonce:

— Je vais m'habiller. Viens voir mon nouveau t-shirt imprimé, Charlotte.

Aussitôt passée la porte, Charlotte débloque:

— Qu'est-ce qui te prend? Pas question que je t'accompagne à la pêche, ma vieille. Je supporte pas les moustiques et les

20

mouches noires. Quand je me fais piquer, j'enfle comme le bonhomme Michelin. En plus, faudrait se lever à l'heure des poules. Moi, je veux foirer en fin de semaine. D'ailleurs, je me trompe ou ton père t'a envoyée te faire cuire un œuf?

— Toute une *chum*! Pour une fois que je te demande un service, Charlotte Chaput. Tu peux peut-être m'aider à sauver le ménage de mes parents, mais ça, tu t'en fiches!

Un brin de culpabilité, ça ne nuit pas dans certaines circonstances.

— Comment ça? marmotte Charlotte.

— Mon père est en train de se faire emberlificoter par ce type-là, Chapleau. Rien qu'à voir, on voit bien! Si on est là, rien ne va se passer.

Charlotte remonte ses lunettes; c'est son tic quand elle tique.

— Tu veux dire que Chapleau essaierait de séduire ton père. T'es folle, ma parole! Ton père, un homosexuel. À son âge. Pis c'est pas son genre, pas une miette.

— Hé, que t'es naïve, ma pauvre Charlotte! Si t'écoutais un peu plus d'émissions éducatives, aussi, tu verrais que rien n'est impossible. L'autre jour, à *PARLER POUR PARLER*, y avait un cas semblable à celui de mon père. Un type que ça paraissait pas du tout qu'il était gai. Pourtant, sans que sa femme le sache, il filait le parfait amour avec son prof de tennis.

— Pftt... fait Charlotte, incrédule.

— En tout cas, vaut mieux prévenir. Avant les cours, on va arrêter au bureau de mon père. Faut que je le convainque de nous emmener. La pêche, c'est peut-être un prétexte pour aller ailleurs. Faut voir.

— Pis Martin, là-dedans? Je devais le voir samedi.

— Tu m'as dit hier que ses tournois de hockey étaient commencés et qu'il serait tout le temps sur la glace. Toi, tu le sais, à poireauter dans une aréna, t'attrapes le rhume de cerveau.

— Tu penses que ça va être mieux en plein septembre dans le bois?

— C'est encore doux. Et pis, la météo annonce un super week-end.

— Super week-end... ergote Charlotte.

— Tu dis toujours que t'es ma meilleure amie, c'est le temps de le prouver! que je tranche.

Charlotte pousse un soupir de résignation.

— Bon, je vais aller chercher mes livres, d'abord. Faut se dépêcher, si tu veux qu'on passe au bureau de ton père avant les cours.

Je lui décoche un sourire et, comme elle vient pour sortir, j'ajoute:

— Une dernière chose, Charlotte...

— Quoi encore?! qu'elle croasse.

— Il te reste du gruau après tes lunettes.

Le bureau de mon père est situé dans un mini-centre commercial, non loin de la polyvalente. C'est sur notre chemin. «FRANÇOIS LÉPINE, COURTIER D'ASSURANCES GÉNÉRALES» proclame l'enseigne des locaux, coincés entre une agence de voyages et un *Dunkin' Donuts*. Mon père trouve l'endroit achalandé, par conséquent idéal. Et puis, il peut siroter du café frais à toute heure du jour. Un bon café, ça conditionne un client, paraît-il.

On entre donc et on surprend Mme Boulerice, la secrétaire de mon père, en train de s'enfourner une roussette au miel dans le museau.

Mme Boulerice a la taille d'une baleine, les moustaches d'une otarie, le menton en cascades et les paupières batraciennes. Le harcèlement sexuel, connaît pas. Si elle ne mérite pas un prix de beauté, au dire de mon père, elle est efficace. Elle a un petit côté féministe qui l'irrite par moments mais, pour faire marcher ses affaires au doigt et à l'œil, il peut compter sur elle. «C'est un pilier de son entreprise», qu'il soutient. Moi, je dirais carrément une colonne, m'enfin.

— 'jour, Zoé, qu'elle clapote, le dentier en déraillement.

— Bonjour, madame Boulerice. Je peux dire un mot à mon père?

— Ce sera pas long, il est au téléphone. En attendant, toi et ta copine, prendriez-vous un beigne à la gelée? qu'elle nous offre, les doigts poudreux de sucre.

On a pas le temps de l'imiter qu'un individu, mallette à la main, franchit le seuil en nous refoulant aux classeurs. Lui, c'est le gabarit manchot de l'Antartique: rondouillard sur les bords, habit noir, chemise blanche, bras courts, cheveux plats et luisants, nez pointu et recourbé; il a tout, je vous dis! Même la démarche dandinante: on dirait qu'il est pris dans un pain ou constipé. Faudrait pas qu'il se hasarde en redingote à une cérémonie, on le kidnapperait pour l'expédier à l'Aquarium de Montréal! (Si vous n'avez jamais vu un manchot de près, allez-y. Ça vaut le détour et c'est tellement drôle.).

L'arrivant tend sa carte à Mme Boulerice qui l'examine de son œil de grenouille. Ils font un beau duo tous les deux. On les imaginerait très bien sur une banquise. Je parie qu'ils intéresseraient le commandant Cousteau.

— Claude Chapleau, s'introduit le cousin du pingouin.

Mme Boulerice va pour actionner son interphone, mais mon père la devance en ouvrant la porte de son bureau et en s'exclamant:

24

— Si c'est pas mon vieil ami, Claude Chapleau!

Il lui tend une main et, de l'autre, lui assène une bourrade dans le dos. Mais le nouveau venu ne se contente pas de si peu. Il harponne mon père et y va d'une accolade serrée. Charlotte et moi, on échange un regard entendu.

Faut croire que Chapleau n'a jamais ressemblé à Roch Voisine, car mon père enchaîne:

— T'as pas changé d'un poil!

— Toi non plus, «Lapine»! rétorque l'oiseau de mauvais augure.

Ce jeu de mots débile fait pouffer mon père. Sans doute un sobriquet de jeunesse, plein de sous-entendus connus d'eux seuls (du moins, ils le croient!).

— Madame Boulerice, vous avez devant vous le plus grand conteur d'histoires de pêche! assure mon père.

— C'est lui qui a déjà attrapé une anguille électrique de cinq pieds, en allant à la pêche aux petits poissons des cheneaux? plaisante-t-elle pour se montrer agréable.

— Pis j'ai branché mon char avec, vu qu'il faisait un froid à raidir les hameçons! achève le farceur du dimanche.

Hilarité. Y a que Charlotte et moi qui gardent des gueules de raie. Mon père nous remarque.

— Que je te présente ma fille, Zoé... Son amie, Charlotte.

— Mesdemoiselles, roucoule le serin endeuillé.

Les mam'zelles esquissent une risette en forme de crevette. Politesse oblige. Là-dessus, Mme Boulerice, en parfaite hôtesse, annonce qu'elle va refaire le plein de café, à côté.

— Vous êtes un ange descendu du ciel! l'encense mon père. (Moi, je dirais plutôt un 747, m'enfin.)

— Donne-toi la peine de passer dans le saint des saints, continue mon père en désignant son bureau à Chapleau. Si tu le permets, je vais voir ce que mon héritière est venue me demander. Y aurait une petite avance de fonds là-dessous, je serais pas surpris...

Je lui coupe le sifflet vite fait:

— Je suis venue te redemander de nous emmener à la pêche, Charlotte et moi.

Mon père pousse son juron préféré:

— Salamandre! t'en démords pas. D'habitude, tu trouves toujours cinquante-six défaites: les vers te font lever le cœur, les ballottements de la chaloupe t'indisposent, les brûlots te mangent tout rond, les lignes te donnent du fil à retordre... Bref, tu veux jamais.

— Là, je veux!

Plutôt mince comme argument, mais c'est le seul à ma disposition, pour l'instant.

Chapleau se tait, pourtant ça doit le contrarier. Sa lune de miel virerait en citrouille, si Charlotte et moi, on y alunissait en Carabosse, sur un balai.

— Je t'ai déjà expliqué que ça adonnait pas, rabâche mon père.

— Ça dérange tant que ça? que j'insinue d'une petite voix vinaigrée en toisant Chapleau.

Il doit avoir envie de me serrer les ouïes, le vieux crabe. D'ailleurs, je crois lire une manière de défi dans son regard d'amphibie. Je me demande comment il va s'y prendre pour noyer le poisson. À ma grande surprise, il ne patauge pas longtemps:

— Si je comprends bien, vous voulez venir à la pêche, les filles. Y a rien là. Je gage que vous avez jamais vu un élevage de truites. Mon frère est pisciculteur; il a des bassins dans l'Estrie. Je pensais justement y faire un arrêt pour te montrer ça, François. Sûrement que ça intéresserait Zoé et Charlotte.

— Mais... bêle mon père.

Chapleau l'interrompt, en le relayant dans son bureau.

— À c't'heure, j'aurais un petit avis professionnel à te demander...

Et il s'enferme avec lui.

Charlotte m'apostrophe:

— Tu vois, nounoune, y sont prêts à nous emmener! Tu t'es montée la tête pour rien, pis là on va être obligées de passer un fichu de week-end plate!

À tout hasard, j'appuie sur le bouton de l'interphone. Comme je l'espérais, mon père a oublié de couper le contact du sien. La voix de Chapleau retentit:

— T'en fais pas, elles vont changer d'avis. Mon frère a deux grands flots de leur âge. Je suis pas mal certain qu'elles préféreront rester avec eux. Et puis, ma belle-sœur tient une espèce d'auberge pour les jeunes, là-bas; elles vont y être en sécurité pour bien s'amuser. De notre bord, on va en faire autant, à notre façon!

Par la vitrine de la devanture, j'aperçois Mme Boulerice qui rapplique avec sa cafetière fumante. Je coupe l'interphone.

— Tu vois, ils comptent nous larguer en cours de route. Après ça, tu me diras qu'ils n'ont pas une idée derrière la tête.

— C'est gai, grogne Charlotte.

— J'te le fais pas dire! que je conclus.

3

En avant, toute!

Charlotte a raison, se lever au chant du coq, un samedi, ça écœure! Remarquez, je suis un peu habituée à me faire réveiller tôt, ce jour-là, mais ce n'est pas par un coquerico. Plutôt par la tondeuse de M. Bobichard, notre voisin français au petit béret. Il ne fout rien comme les autres, cet énergumène-là. En emménageant l'été dernier, son premier réflexe a été de tout raser. Normal, un raseur! Il a dû être une chèvre dans une vie antérieure. Sa pelouse, on dirait un terrain de golf. Pas un brin d'herbe inégal. À chaque fin de semaine, c'est la super tonte, la pipe au bec et la calotte de côté. Tout juste s'il n'a pas une baguette de pain sous le bras! Ça le défoule, je présume. Quant à moi, c'est simple, j'en viens à souhaiter qu'il pleuve le samedi!

Je rêve de jouer aux labours avec le tracteur de mon grand-père. Une bonne nuit, je lui massacrerais la tourbe. La fraise qu'il ferait le lendemain, en voyant les goélands picorer dans ses sillons. Il se croirait peut-être au bord de la mer, même si on n'a plus besoin d'aller sur les côtes pour apercevoir ces oiseaux-là, depuis que notre Saint-Laurent ressemble à une bouillabaisse chimique!

En tout cas, je paierais cher pour voir la tête de M. Bobichard, le béret décoré d'une fiente de mouette, les yeux exorbités devant son tapis vert en pièces détachées. Au menu: omelette aux fines herbes! Français, non?

En parlant de tête, celle de Charlotte n'est pas belle à voir à 5 heures du matin, je vous le précise. C'est l'heure à laquelle elle s'annonce pour la virée dans les Cantons de l'Est; les lunettes croches, avec de la buée matutinale dans les coins. Elle a encore, dans sa bouche, les broches qu'elle porte la nuit pour redresser ses dents du devant. Des reliquats de fixatif dans les couettes lui donnent une allure de sapin de Noël au rencart; ceux qui sont pleins de glaçons et de cheveux d'anges et qui roulent dans les rues, emportés par une bourrasque de janvier comme des broussailles dans la toundra.

Mettons que je suis pas plus fringante avec mon haleine de cheval et mes yeux cernés de raton laveur insomniaque.

Faut dire que j'ai passé la nuit à virer dans mon lit. Une girouette aux quatre vents. Mon père, un fifi. Ça n'avait pas de bon sens! Charlotte avait probablement raison. Je me faisais des idées. Pourtant la note déchirée dans le sac d'ordures...

Le mieux, ç'aurait été d'aborder carrément mon père. Mais rien qu'à cette pensée, je me sentais du caoutchouc mousse dans les membres. Mon courage se liquéfiait comme une aspirine dans un grog.

Je me rappelais les scènes et les scénarios de l'émission de télé. Le père apprenant à sa famille qu'il était homosexuel. La réaction en chaîne. Sa femme hystérique, ses filles sanglotantes, son fils paniqué, craignant que ce soit héréditaire. Le père rassurait chacun. Leur déclarait, mi-figue, mi-raisin, que ça changeait pas le monde... La preuve, il continuait de les aimer, en espérant qu'ils en feraient autant. Simplement, il ne pouvait plus faire semblant. Il taisait ce lourd secret depuis trop d'années, pour ne pas choquer ou décevoir les autres. Pendant ce temps-là, c'est lui qui trinquait. Aujourd'hui, il avait touché le fond du baril. Il voulait vivre en étant lui-même à cent pour cent, bien dans sa peau. À quarante ans, il était temps qu'il s'affirme, s'assume, s'éclate, et cetera...

Les grands mots pour faire passer le morceau. Le drame, c'est que dans mon cas, je suis seule pour déguster. J'en ai plein les badigoinces, oui. Certains se drogueraient ou se suicideraient pour moins que ça. C'est pas juste. Ça me revient d'être émancipée. Je suis au mitan de mon adolescence, moi. En pleine crise d'identité, comme ils disent dans les livres de psycho. À peine résignée aux éruptions de boutons et aux crampes de menstruations. Faut pas me brûler les étapes, me couper l'herbe sous les pieds (comme le père Bobichard). J'ai une foule de problèmes à régler, des tas d'expériences à tenter, mes propres chats à fouetter, quoi! Et je devrais surveiller les fréquentations de mon père? Merci bien!

Le monde à l'envers... Je veux bien croire qu'on s'aligne vers l'an 2000, qu'on vit dans une société sans tabous, ouverte à deux battants. Pourtant j'ai tendance à me refermer comme une huître, quand je pense à la position de mon père. Changer d'orientation sexuelle, c'est pas comme changer de caleçon! Être gai, d'accord, c'est pas une maladie; mais le sida, hein? Il faut vivre sa vie, je suis la première à le chanter habituellement, mais là je déchante en titi.

Je suis ballottée par toutes sortes de sentiments. Un raz-de-marée me ravage le mental. J'ai peur, j'ai honte, je suis triste, je suis en colère. Seule dans ma barque, ça tangue vilain. Le changement de cap de mon père me chavire complètement. Ma mère en coulerait bien à pic! Elle en claquerait une ménopause prématurée, officiel!

Tout ça pour dire que c'est pas la super forme quand Charlotte se pointe à l'aurore. Je n'ai même pas le temps de boire un jus, que déjà on entend le 4 x 4 de brousse de Chapleau arriver dans la cour. C'est lui qui mène l'expédition.

— Tout le monde sur le pont! proclame mon père, heureux comme un Christophe-Colomb hissant pavillon.

Avant de prendre le large, il va embrasser ma mère restée au lit. Le baiser du traître. «Espèce de Judas!», que dirait mon grand-père Jonas, le saint homme. C'est un peu à cause de lui que je m'appelle Zoé, vu que, tenez-vous bien! selon la tradition de la famille, le premier enfant doit porter un nom biblique en rapport avec l'eau. «Zoé», c'est ce qu'il y avait de plus près de «Noé». Étant né deuxième, mon père l'a échappé belle, mais son frère aîné a écopé de «Moïse». Heureusement que ma mère s'est insurgée, car je me serais appelée «Marie-Noé». En y repensant, c'est pas laid, c'est même plus original que «Mélanie-Lyne», le nom d'une gribiche qu'on surnomme «mezzanine», à l'école.

Mon père revient. Tout pimpant, il assemble son coffre de pêche qui doit peser une tonne, ses multiples cannes, ses bottes cuissardes et, finalement, son chapeau porte-bonheur, piqué d'une vingtaine de mouches multicolores. Un pan de sa chemise carrelée au vent, il se précipite pour déposer son attirail à l'arrière de la jeep.

Chapleau, lui, s'est fringué au surplus de l'Armée. Il arbore l'uniforme de combat, agrémenté de trente-six poches. Peut-être qu'il veut se camoufler dans les herbages pour surprendre le poisson, le con! Son ensemble est complété par une casquette de receveur, la visière en arrière, et des mocassins de bûcheron, bordés d'épais chaussons. Salut, bonhomme! Vivement qu'on gagne le bois, avant de se faire repérer! Mais je m'illusionne car, juste avant de démarrer, Chapleau indique:

— On déjeunera en route. Je connais une cantine où ils font des bons œufs baveux.

Comme si ce n'était pas assez pour nous ébranler le système nerveux, il insère une cassette de musique western. À 5 heures du matin, je vous le recommande. Ça dissipe les toiles d'araignée, mais ça développe des instincts meurtriers. Surtout quand vous êtes embarqués à l'arrière d'un tapecul, avec le bout des cannes à pêche qui vous martèlent le caisson.

Ramassée contre sa porte, le nez enflé, Charlotte se débat avec ses allergies matinales. Elle prétend qu'un jour, quand ses traitements aux antihistaminiques l'auront guérie, que sa vision sera corrigée et que ses palettes seront redressées, elle ressemblera à Madonna. Le meilleur est à venir, qu'elle fait miroiter à Martin. Elle doit avoir des talents cachés, parce que ça marche; alors que moi, avec mes soi-disant «yeux de biche», je piétine. Mais pour l'instant précis, la transformation de Charlotte se rapproche davantage de celle de l'incroyable Hulk, ou à peu près... Il me semble voir ses ongles devenir des griffes, ses dents, des crocs, ses yeux, des tisons. Je devine que si elle ouvrait la bouche, sa salive serait de la bave et sa voix, un mugissement.

Vous croyez qu'elle m'en veut...?

En rebondissant sur nos sièges, on s'éloigne de la ville, jusqu'à ce que des champs de maïs bordent la route. Ça change des édifices et des magasins. Encore plus, quand Chapleau s'engage dans une petite rue sale et transversale au milieu d'un village. Devant nous, une moissonneuse-batteuse s'éternise, parsemant l'asphalte de mottes qui enrichissent le fumier dégringolé de la charrette, en tête de cortège. Une pluie fine commence à malaxer tout ça et à picoter les vitres. J'enrage en songeant que M. Bobichard aurait fait relâche avec sa tondeuse, ce matin, et que j'aurais pu dormir plein mon soûl!

— Si ce crachin-là tombe jusqu'à demain matin, on va être gras durs. Rien de mieux pour la pêche! jubile mon père.

— Tu m'le dis! confirme le pingouin déguisé en fantassin.

Et voilà qu'il braque son volant pour entrer dans la cour en gravier d'une cambuse.

— Ça a l'air de rien, mais les œufs sont extra, vous allez voir!

Trop tard pour rechigner: à la file, on gravit le perron en se faisant asperger le toupet par un panneau rouillé de *Pepsi-Cola* qui s'égoutte doucettement.

On entre. Cinq tabourets à la bourrure qui s'effiloche, font face à un revêtement d'arborite crevassé. Dessus, il y a des miettes, preuve qu'on accueille des clients. Pas évident, car attendez de voir le topo! À une extrémité du comptoir, une cloche garnie d'empreintes digitales, avec en dessous des muffins égrenés; à l'autre extrémité, quatre bananes noirâtres patrouillées par des moucherons. Sur une étagère, des mini-boîtes de céréales poussiéreuses, couronnées du traditionnel espadon, ce poisson-épée, fixé à une planche. Sur le mur droit, une tête d'élan louchant sur la fille en bikini d'un calendrier jauni. Sur le mur gauche, une tête d'ours et un baromètre décrépit. Pour compléter l'exotisme, un philodendron en plastique s'étire sur le linoléum poché, à côté de la porte de la toilette entrouverte sur une flaque qui n'a rien de la mare aux canards.

Ça fera pas *Décormag*, je vous le prédis! Et puis, ces trophées mités au regard vitreux n'ont rien pour ouvrir l'appétit. Pas plus que le cuisinier, d'ailleurs. Un ventru avec des doigts comme des pogos, des cheveux à la graisse de patates, un cure-dent fiché sur l'oreille et un tablier caramélé autour de la brioche. Tout brimbalant, il s'évertue à gratter ses plaques chauffantes. Si, par malheur, l'espadon se décrochait pour l'embrocher, sûr qu'il se dégonflerait à travers la pièce comme un ballon.

— Salut, Germain! lance familièrement notre guide, monsieur Peau-d'Hareng pas frais.

— Des gens d'la ville! constate joyeusement le cuistot.

— Y va falloir que tu sortes tes talents de chef, mon Germain. J'ai dit à ce beau monde que tu faisais les meilleurs œufs frits qu'une poule puisse espérer!

— C'est pas moi qui le dis! fait modestement le briseur de coquille.

«Le secret, qu'il nous confie en parlant de ses œufs, c'est de leur montrer la poêle, juste pour les effrayer. Ça les fait frissonner, pis là, ils sont à point, bien mousseux.»

«Bien morveux, oui!», que je songe.

— Je prendrai seulement deux rôties avec de la marmelade, s'épouvante Charlotte, le futur sosie de Madonna!.

— Moi aussi! que je m'empresse.

— Vous savez pas ce que vous manquez, les filles! nous plaint Chapleau.

Tandis que le dénommé Germain s'affaire à mitonner sa tambouille, Charlotte me pousse du coude.

— Suis-moi aux toilettes!

Elle se croit à l'hôtel, ma foi. La toilette est à peine plus grande qu'une cabine téléphonique. Ça ne me dit pas de l'accompagner, mais, quand Charlotte emploie ce ton-là, inutile de regimber.

On s'engouffre à qui mieux mieux. Charlotte se retrouve adossée au lavabo écaillé; moi, accotée contre le mur, avec une vue imprenable sur la cuvette de la toilette qui a tout un cerne autour du col, je vous en passe un papier!

Charlotte s'échauffe.

— Bon! on a assez ri. Tu vas leur demander de nous débarquer au prochain arrêt d'autobus et on va revenir direct!

— T'as rien compris. Ils font ça pour nous écœurer, que je plaide.

— On perd notre temps et notre jeunesse! profère Charlotte qui, à l'occasion, se prend aussi pour Minerve (m'énerve!), la déesse de la sagesse. Elle couverait une personnalité

38

multiple, la Charlotte, que j'en serais pas étonnée outre mesure.

Ponctuant notre discussion, quelques gouttes tombent du robinet mal ajusté. Charlotte fait des yeux de merlan frit, c'est-à-dire qu'elle les lève au ciel, n'en montrant que le blanc, en signe d'exaspération.

— De toute façon, la moitié de notre samedi est à l'eau, que je renforce. Aussi bien continuer notre enquête.

— Ah! notre enquête. Tu vois, tu te prends pour Colombo, ma vieille!

À 90 ans, quand on sera toutes les deux à l'hospice, à tricoter des pantoufles en *Phentex* et à sucer des bonbons à la menthe, je ne sais pas comment Charlotte va s'adresser à moi, vu qu'elle m'appelle déjà «ma vieille».

Je change de tactique.

— Fais donc ta fine, Charlotte, tu sais à quel point je suis inquiète.

Soupir de Charlotte, si fort qu'il fait onduler le papier hygiénique qui pend au dévidoir.

— O.K., O.K., qu'elle capitule. Mais vu qu'on est dans les chiottes, ça te surprendra pas si je dis que tu me fais ch...

Dites ce que vous voulez, c'est beau l'amitié!

4

À contre-courant

Après avoir mâchouillé nos rôties, en évitant de lorgner les assiettes des deux amateurs d'œufs, Charlotte et moi, on prend notre mal en patience.

Repu, Chapleau se déplie enfin sur son tabouret. Pour passer un rot, il se pétrit le torse et du même coup, le tournevis, l'indicateur de pression des pneus et les cinq crayons billes qui émergent d'une de ses poches tachetées. On bondit alors vers la sortie, en prévenant:

— On va attendre dans la jeep!

La pluie a cessé pour faire place à de petites éclaircies. De gros nuages défilent en caravane. Un temps d'automne. Par chance, comme la météo l'a prévu, ça reste doux. On en profite pour traînasser autour de la jeep, en admirant le coloris des feuilles. On a même droit à un vol d'outardes, pointant le grand V de leur formation vers le sud. Leur piaillement nous transporte. Vive la liberté!

Dans ce patelin en bordure des Cantons de l'Est, il y a des arbres centenaires (vénérables, que dirait mon grand-père) qui sont loin d'être chauves; au contraire, ils se sont développés une vraie tignasse. C'est branchu, touffu, étendu. La ramure mur à mur! Certains sont jaunes, ocre, écarlates; d'autres, plus conservateurs, portent encore leur robe verte, avec seulement une petite feuille excentrique, par-ci, par-là. Cette frondaison en pâmoison est maintenue par des troncs trapus qui doivent combler tous les chiens des environs, depuis des générations!

C'est somptueux. Le spectacle valait le déplacement. Moi, je rêve d'aller dans les Rocheuses, un jour. Il paraît qu'il y a là-bas des arbres avec des troncs comme des maisons et des cimes à donner le vertige. Pourtant, ça n'empêche pas des types d'y grimper pour jouer des partitions de scie mécanique. «La symphonie des couleurs» contre «Le massacre à la scie»! Rien que le vrombissement est traumatisant, comme la roulette du dentiste! La solution pour stopper l'abattage: recycler encore plus de papier. Mais il faut que tout le monde mette la main à la pâte. Ça concerne toute la population, du potasseur

42

de journaux à informations au liseur de canards à sensation. Chacun doit tremper sa feuille de chou dans le même bain d'acide. Tous conviés à la même super fondue à l'encre de Chine!

Tiens, je me mets vaguement à ressembler à un discours politique. Probablement des bribes de débats parlementaires télévisés qui me reviennent. Dans ses heures creuses, mon père regarde parfois les obstinations de ces adultes qui se chamaillent publiquement, pour le bien public. Au début, c'est plutôt drôle, mais ça devient vite hyper-chiant. Ils ne briseront jamais de cotes d'écoute, par contre ils feraient d'excellentes pubs de somnifères.

Bon, voilà que nos loups de mer sortent de la cantine. Sans blabla, on remonte tous à bord et c'est reparti, mon kiki!

Cette fois, Chapleau prend l'autoroute. C'est pas pour nous déplaire à Charlotte et à moi; on se fait moins cabosser en circulant le long de cette route uniforme, d'abord frangée de prés verdoyants, puis de peupliers au garde-à-vous, et enfin de murailles de roc. On se retrouve en plein dans les beaux Cantons de l'Est. On contemple le paysage valonné, immense, avec, pour toile de fond, les Appalaches sillonnées de pistes de ski, parées des mille feux de l'automne (la campagne, ça rend vachement poétique!).

Et puis, merde! on remet ça pour le brassage à l'arrière, vu que Chapleau emprunte une sortie et recommence à vadrouiller dans les chemins creux. À ce rythme-là, on aurait digéré n'importe quoi, même les œufs baveux du copain Germain.

En attendant, on dévore des kilomètres que notre postérieur assimile tant bien que mal. Afin de faire diversion, mon père raconte son «amour» pour la pêche. Déjà enfant, il «patentait» des leurres avec des vieux colliers et des colifichets. Une fois, il avait utilisé les boucles d'oreilles favorites de sa mère pour bricoler un appât spécial en vue d'attraper de la barbote. Il avait fait de sacrées prises, ce jour-là. Malencontreusement, une partie des longues boucles était restée agrippée aux barbillons d'un poisson que sa mère avait arrangé pour le souper.

Ça avait mis fin à sa carrière de moucheur. Il eut beau bluffer, pas de rémission. Après ça, il s'était borné à vendre des vers qu'il ramassait dans des boîtes de conserve, les jours pluvieux. Comme il demeurait près d'un lac, les pêcheurs ne manquaient pas et lui procuraient son argent de poche. Il s'installait sur le bord d'un trottoir, comme les jeunes qui vendent de la limonade, mais lui, c'était des asticots bien gras et bien juteux, qu'il proposait aux passants.

Charlotte et moi, tu parles si ça nous passionne, ces récits préhistoriques. D'autant que moi, je les connais par cœur. On est davantage excitées par le trajet qui ressemble de

44

plus en plus aux montagnes russes, avec des côtes et des descentes à couper le souffle. Justement voilà qu'on entreprend une pente particulièrement raide, encadrée de forêt. Ça nous fait l'effet d'entrer dans un kaléidoscope. Arrivées au sommet, on voit un grand espace déboisé, flanqué de longs bassins quadrillés.

— Le domaine de mon frérot! s'enorgueillit Chapleau. C'est ici qu'il élève les meilleures truites arc-en-ciel du pays!

— Ouais, impressionnant... convient mon père après quelques instants de recueillement.

Madonna (alias Charlotte!) et moi, on n'est pas plus enthousiasmées qu'il faut. Personnellement, je trouve que si les truites batifolaient dans un lac des environs, elles auraient moins de chance de finir baptisées au jus de citron!

Gérard Chapleau fait moins pingouin que son frangin, Claude. Au moins, il a les bras assez longs pour rejoindre sa braguette, lui. Il est chauve comme un galet, avec un nez de toucan et une bouche en anse de chaudière. Charmante famille. Et puis, il a tendance à scander ses phrases de ricanements à la Barbe Bleue.

Évidemment, il se croit obligé de nous donner un cours en pisciculture, précisant qu'une eau claire et froide, essentielle à l'élevage des truites, court perpétuellement dans les bassins disposés en escaliers.

Certains bassins fourmillent de minuscules alevins, ou poissons nourrissons, qui servent au peuplement, d'autres contiennent de belles truites frétillantes et d'autres, de gros adultes reproducteurs.

Les truites sont nourries à la moulée. Quand celles qui sont destinées à la consommation ont atteint le poids requis, elles prennent le chemin de l'usine où on les tue par électrocution. J'en ai un courant de 120 volts qui me parcourt la moelle épinière en entendant ça. Notre guide a la gentillesse de préciser qu'en les faisant jeûner quelques jours avant de les abattre, le goût de la chair est plus délicat. Toutes les opérations qui suivent sont rapidement faites à la main, afin que les poissons, tirés directement de l'eau glacée, n'aient pas le temps de tiédir. Ils sont ensuite emballés sous vide, en entier ou en filets, nature ou fumés, avec ou sans arêtes. «Du boulot vite fait, bien fait!», se gargarise ce barbare de Gérard.

Visiblement, mon père trouve le tour très intéressant. Charlotte et moi, plutôt déprimant.

Et puis, la vue des bassins me rappelle un fameux concours auquel j'ai participé, malgré moi, à l'âge de cinq ans. Je magasinais avec mon père, dans un grand centre commercial. Comme il venait de s'acheter des souliers de suède qu'il avait voulu porter sur-le-champ pour se pavaner, j'avisai un comptoir laitier aux formidables cornets à deux boules. Tout de suite, j'ai trépigné pour en avoir un avec une boule à la vanille et une autre au chocolat, ma saveur favorite. Et nous voilà, mon père et moi, déambulant dans les vastes allées, précédés de mon cornet à deux étages.

Bientôt, ce fut au tour de mon père d'ouvrir des yeux grands comme des hublots: au milieu de la place, il aperçut un gigantesque bassin rempli d'eau. Une pancarte moussait un concours organisé par «Le Royaume de Poséidon», une boutique d'articles de pêche. Le bassin était ensemencé de truites dont certaines étaient étiquetées. Si tu attrapais une de celles-ci, selon son numéro, tu pouvais gagner un couteau, un imper, une tente, etc. Le premier prix: un canot pneumatique. Mon père était plus excité qu'une puce à la vue d'un chien barbet.

Rapidement, il paya mon inscription et installa le manche d'une canne dans ma menotte, en croyant que j'allais lui porter chance. (Les adultes croient ça, quand on est petit. On est leur patte de lapin et leur trèfle à quatre feuilles, jusqu'à ce qu'on grandisse et devienne inexplicablement leur mouton noir ou leur mauvaise herbe!)

Pendant que je laissais bonnement pendre ma ligne dans l'eau, mon père se mit à jaser avec les participants des alentours. Il ne s'aperçut de rien quand le malheur survint. Penchée au-dessus du bassin, un filet de bave au menton, je me concentrais sur ma ligne, quand ma boule de crème glacée au chocolat foira dans l'eau. Je ne sais pas si c'est le mouvement pour la rattraper ou simplement l'effet d'entraînement, mais j'ai suivi sa trajectoire. Le «ploc!» de ma boule fut donc suivi du «plouf!» de ma personne et enfin du «Ahhhhhh!» de la foule. Mon père n'eut que le temps de pivoter pour m'aviser au fond du bassin, en train de m'agiter comme un méné. Au détriment de ses souliers de suède, il fit ni une ni deux et alla me repêcher par le collet.

Fichu bouillon! L'espace d'une seconde, je m'étais trouvée face à face avec une truite polissonne qui m'avait bâillé au visage et prodigué quelques coups de nageoires sur le nez.

— Ça va, ma petite perchaude? demanda mon père en me frictionnant les omoplates.

À l'époque, il m'attribuait toutes sortes de noms comme ça: «mon crapet soleil, ma fleur de corail, mon petit hippocampe, mon petit anchois» (et j'en passe), jusqu'à ce que je me révolte et devienne aussi piquante qu'un «petit oursin». Passé l'âge de la poussette, ça devenait embarrassant ces surnoms à la gomme. Il en échappe encore aujourd'hui, mais occasionnellement, heureusement!

Mon père fut calmé et moins gêné quand les gens m'acclamèrent, comme si je venais de traverser la Manche. Il n'y avait que le propriétaire du bassin qui gardait une tête antipathique de murène, en considérant ma boule de crème glacée qui dérivait lentement, telle une bouée défaillante.

Cette trempette-là avait établi un froid entre la pêche et moi. J'avais pris ça en aversion, au désarroi de mon père pour qui c'est plus qu'un passe-temps, presque une seconde nature.

— J'ai un nectar de bleuet au caveau. Qu'est-ce que vous diriez d'un petit remontant pour arroser votre visite? suggère Gérard Tête-d'Œuf Chapleau, en m'éjectant littéralement de mes souvenirs.

— J'pensais que tu l'offrirais jamais! blague son frère, Tête-de-Lard. C'est un cousin du Lac-Saint-Jean qui le lui distille. Un velours!

Et on s'oriente tous en procession vers la maison. Gérard Chapleau a ses installations directement sur sa propriété, comme les fermiers, leurs bâtiments.

Le pingouin prend les devants ce qui nous donne l'occasion d'admirer son dandinement de cane engrossée. Chemin faisant, il pond:

— Tes gars sont là, Gérard? Ils pourraient montrer l'auberge à Zoé et Charlotte.

«Il a de la suite dans les idées, l'animal!», que je songe.

— Ils doivent être en dedans, répond l'autre innocent.

On gravit un perron en ciment aux rampes de fer forgé qui s'apparentent bien à la maison: une haute construction en briques, encadrée de pins hautains. Ce n'est pas coquet, mais ça s'accorde avec le paysage taillé dans la pierre et le conifère.

En entrant, on tombe nez à nez avec une charmante dame pélican, à la grosse mâchoire inférieure flasque et avancée et au postérieur identiquement développé, dans le sens opposé.

Avec de tels parents, Charlotte et moi, on est sur le qui-vive par rapport aux rejetons Chapleau.

— Eh ben, eh ben, en voilà une surprise, Gérard, fait l'épouse pélican. Tu m'amènes du monde!

«Du vrai monde, pour faire changement!», que j'ai envie de railler.

Mais je fais bien de fermer mon clapet, car j'avalerais sûrement des mouches, vu que les deux monstres qui dévalent l'escalier de l'entrée, me laissent bouche bée!

5

De quoi grimper dans le grand cacatois!

Est-ce que j'ai dit «monstres» tout court? Eh bien, je voulais dire «monstres sacrés». Surtout que l'escalier est de style palace, interminable et arqué, de ceux dont descendent les artistes à la remise d'un Félix.

Naturellement, les deux gars qui déboulent ne portent ni nœud papillon, ni habit de gala, mais oh! la la, ils n'ont pas besoin de ça! Ils sont grands, minces, avec le teint hâlé, les cheveux dans le cou et un regard langoureux d'épagneul. Une fois sur le plancher, ils se coulent, racés, entre leurs parents adorés. La

51

férence, Hortense! Ou ils sont adoptés ou is renversent les lois de l'hérédité, y a que ça pour expliquer!

Et puis, il y a une chose qu'il faut que je précise tout de suite, pour ne pas vous induire en erreur. Les deux gars sont I-DEN-TI-QUES. La même physionomie, je vous dis. La perfection au masculin, multipliée par deux, si ça se peut!

— Vous voyez pas double, les filles! ricane Claude Chapleau devant nos hures ahuries. Mes neveux sont jumeaux.

On voit, mais on garde les yeux écarquillés.

«Pis heureusement qu'ils sont laids!» poursuit leur tonton en cloquant à chacun un petit coup de poing dans l'estomac.

Sourires enchanteurs des deux plus beaux gars de la planète. Charlotte et moi, on est pendues à leurs lèvres. Pas besoin qu'ils parlent, on entend de la musique. Nos cils battent en cadence et nos cœurs tambourinent à l'unisson. Charlotte ne pense plus à me jouer le violon de ses lamentations, je vous le certifie. Devant ces deux apollons, je monte dans son estime à la vitesse de la fusée Apollo. Le Cap Canaveral, c'est pile ici; on est en plein départ intersidéral!

Fallait venir dans un trou perdu, un repli de montagne, pour faire pareille découverte. le beau Martin Lebeau à Charlotte, c'est plus que de la gnognotte! D'ailleurs, c'est pas la fidélité qui l'étouffe, celle-là, je le pressens.

— Moi, c'est Jean-Loup, se présente celui de gauche, en tendant la main.

— Rémi, fait l'autre.

Jean-Loup, un nom doux et féroce. Rémi, un nom qui chante sur deux notes. Charlotte et moi, on prend pas de mieux. Même que je dirais qu'on s'enfièvre à vue d'œil.

— Zoé... Charlotte... qu'on délire à tour de rôle, les yeux dans la graisse de bacon, en effleurant les mains chaudes et viriles.

— Qu'est-ce que vous diriez d'aller montrer l'auberge aux filles? propose l'oncle Cloclo à ses merveilleux neveux.

— Ça vous tente? demande Jean-Loup.

— Ben... oui... que je balbutie.

Charlotte, elle, est encore dans le coma. Il faut qu'on se secoue, autrement on va passer pour deux nouilles.

Gérard Chapleau prend la parole:

— Je vais aller chercher mon petit cordial au bleuet. À propos, connaissez-vous la vraie définition d'un bleuet? «C'est un pois vert qui retient son souffle!» qu'il lance sans transition.

Là-dessus, il se tape la cuisse.

Sur cet humour fin, ses fils décident de s'éclipser en nous entraînant dans le sous-bois, à l'arrière de la maison. Ils sont tous deux en jeans, l'un porte un chandail, l'autre une chemise. Je remarque aussi que Rémi a un anneau à l'oreille. Un autre indice pour les différencier.

Ils avancent dans les sentiers tortueux comme des chevreuils. Charlotte et moi, on fait picouilles derrière. On collectionne les orties, on bute contre les roches et les racines, on s'égratigne aux feuilles râpeuses, on s'essouffle à faire du slalom. Notre jogging de trottoir fait pas fureur ici, à la course à obstacles marécageuse.

— C'est un raccourci, nous renseigne Rémi.

— Vous venez d'où? demande Jean-Loup.

— Montréal, halète Charlotte, la langue pendante, plutôt que bien pendue pour l'instant.

— Wouar! Vous devez en voir des bons films, pis des bons shows! s'extasie Rémi. Nous autres, on y va juste à l'occasion; par chance, on a un vidéo. Mais même si la grand'ville, je trouve ça super pour ben des affaires, je vivrais pas dans la pollution à longueur d'année, façon sardine. J'ai besoin d'espace, moi!

— Ça se comprend, déjà que vous deviez être tassés, tous les deux, dans le ventre de votre mère! que j'accouche pour faire spirituelle.

Je récolte guère plus de succès que leur père avec sa farce plate. Y a qu'un pic-bois qui m'applaudit quelque part. Et puis, sans le vouloir, Charlotte me vole la vedette.

— Pouah! j'viens d'écraser un crapaud, grimace-t-elle.

Cette déconfiture-là, les gars la trouvent drôle, mais, en coureurs de bois aguerris, ça ne les émeut pas trop.

— C'est humide ces temps-ci, y en a partout, observe simplement Jean-Loup.

Et la randonnée se poursuit, lorsqu'un caillou se loge dans une de mes espadrilles. Manquait plus que ça. Je m'appuie contre un arbre pour le retirer, quand je remarque le graffiti «Rémi et Sophie», tailladé au canif dans l'écorce. Romantique. M'est avis qu'on n'est pas les premières filles à se balader avec les jumeaux Chapleau dans le fourré. Quant à savoir si l'inscription est récente, impossible de vraiment le préciser. «Pas de chance à prendre, vaut mieux me brancher sur Jean-Loup», que je me dis en catimini. Tant pis pour Charlotte!

On finit par déboucher sur une clairière, au centre de laquelle trône une imposante résidence à pignons, encerclée par une galerie où pendent des jardinières. Une grosse cheminée en pierres des champs se dresse sur le côté. Ça a de la gueule et on peut lire que ça s'appelle «LA PIPISTRELLE», sur un écriteau accroché au toit.

— Drôle de nom, que je fais.

— C'est celui d'une petite chauve-souris à oreilles pointues, dit Jean-Loup.

— Ah...

Et j'avise des mini-chauves-souris décoratives, peintes en noir au milieu de volets jaunes.

— Ça fait un peu «Batman» sur les bords... que je barbe.

— C'est un ancien manoir hanté converti en auberge de jeunesse, m'assure Jean-Loup, sérieusement. Pendant les grandes vacances, on organise des soirées d'horreur. On a un *fun* noir! Évidemment, le *party* le plus capoté est à l'Halloween. Pour cette fête-là, nos parents nous accordent la permission de rouvrir l'auberge fermée pour la saison, comme aujourd'hui. On la décore à notre goût, pis on reçoit la gang de la polyvalente. Y en a qui sont graves!

Plus loin, on aperçoit des installations qui n'ont rien de terrifiant. Une remise, un vieux puits contre lequel s'emmêlent des échasses de toutes les grandeurs, un terrain de badminton, un panier fixé à un poteau, des canots renversés sur un râtelier boiteux. Il y a même une vigne en tonnelle. C'est charmant, pas du tout effrayant.

Le derrière de la maison, lui, ressemble à un chantier. Il y a des dunes de bran de scie, des madriers, des chevalets, des outils éparpillés. Une grande brèche dans la cloison motive les réparations.

— Au dernier orage, un vieil arbre s'est écroulé contre le mur, explique Jean-Loup. Les ouvriers vont revenir demain. J'espère qu'ils vont faire vite; un trou pareil, c'est invitant pour les mulots et autres bêtes en quête d'un nid pour l'hiver.

— Ils pourraient se faufiler en criant lapin! que je crois bon de plaisanter.

Mais décidément, mon numéro n'est pas au point pour le festival «Juste pour rire»!

— Venez, on va vous montrer le dedans, nous convie Rémi.

Aussitôt dit, aussitôt fait, il sort sa clé et nous fait les honneurs du château. À l'intérieur, pas de chambre de tortures, seulement une grande salle avec une table de ping-pong, un jeu de dards, une machine à boule, un damier et un échiquier sur un guéridon. Il y a un coin orchestre avec posters de groupes rock, micro, ampli, batterie, clavier et caisse de son.

— Les guitares, on les garde à la maison pour se pratiquer, déclare Jean-Loup. des fois, ça chauffe en maudit ici d'dans!

Second local: la cafétéria avec ses longues tables parallèles. Une baie panoramique donne sur un chêne majestueux, sous lequel des écureuils s'empiffrent. «C'est sympa», que dirait mon voisin Bobichard, l'herbivore.

Puis, les jumeaux poussent deux portes massives et nous introduisent dans un salon circulaire au lustre pompeux, aux boiseries sombres, ornées d'armoiries anciennes et de cadres tarabiscotés qui représentent des barbus au regard sévère. Il y a même une armure brandissant une lance.

À chaque pas, le parquet gémit sous son tapis aux motifs en arabesques. D'épaisses tentures bourgogne encombrent les fenêtres et alourdissent la pièce. Un peu de lumière filtre et des nuées de poussière dérivent lentement comme des vaisseaux fantômes. Ça sent le fané et le renfermé. Des vases truffés de fleurs figées et mélancoliques n'aident pas. Les fauteuils sont ensevelis sous des draps blancs pareils à des linceuls. Il n'y a qu'un divan austère qui reste à découvert, avec des pattes arthritiques et des napperons brodés sur les accoudoirs. Pas du tout le genre à s'affaler pour manger des croustilles devant la télé; non plus qu'à s'allonger pour faire des mamours à son chum. Le foyer n'est pas davantage attirant avec ses chandeliers à la Dracula et son âtre noirci. On a pas envie d'y faire rôtir des guimauves, je vous le dis!

Il y aurait un cercueil avec un mort exposé au milieu de la place, ce serait pas plus sinistre. On se croirait dans un salon funéraire. L'odeur est pénible, l'atmosphère lugubre.

— Si je comprends bien, c'est ici le palais des horreurs; l'endroit où vous faites peur au monde! que je nargue.

Et je me retourne pour toiser Jean-Loup, quand je tombe sur un miroir terni et défor-

58

mant. J'ai pas l'air dans mon assiette dans cette glace-là. On dirait un bonhomme de neige, fin avril.

— Où est-ce qu'ils sont? bredouille Charlotte déjà effarouchée, dans mon dos.

Elle a peur de son ombre, celle-là.

— Ils ont filé en douce, les escogriffes. Ils nous niaisent.

J'élève la voix:

— Vous avez décidé de nous faire frissonner, les gars? Franchement, y avait d'autres moyens...

Silence. Ils planifient aller au bout de leur petit cirque.

— Bon, y a qu'à sortir, que je signifie à Charlotte.

On fait volte-face. Oui, mais voilà, on ne retrouve pas la porte. Impossible de dire où elle est; elle se fond à la boiserie. Le vieux truc de la porte qui s'escamote.

Soudain, un courant d'air agite les cristaux du luminaire au-dessus de nos têtes.

— Ils exagèrent, que je déplore. Bientôt, ils vont actionner des chaînes et des trappes en poussant des «houuuuuu!» à coucher dehors. On est plus à la maternelle!

Je parle pour moi, parce que Charlotte en mène moins large qu'un filet de sole. On croirait Gretel débarquant chez la méchante sorcière. Elle fixe une peinture illustrant un vieux schnock à monocle qui nous dévisage salement. Ses yeux semblent bouger!

— Si je me retenais pas, j'enfoncerais mon doigt dans l'orifice! que je peste. Tu vois bien que c'est un de ces idiots, derrière.

Charlotte n'est pas rassurée. Elle reste là, pétrifiée. C'est pas que j'aime l'ambiance, mais je me répète qu'il faut rester impassible. Depuis leur cachette, ces imbéciles seraient trop contents de nous voir claquer des dents.

Je m'avance en direction de la fenêtre pour tirer les rideaux, quand quelque chose de pelucheux m'arrive entre les jambes. Je me penche et c'est alors que moi aussi, j'ai les cheveux qui me raidissent sur la carafe, sans l'aide de mousse gonflante!

6

Plus moules
que ça...

J'ai une mouffette entre les cannes! Du
coup, je saute comme si je venais de frôler
une mine. Je me retrouve debout sur le sofa
capitonné, aux pattes Louis quelque chose.

— T'approche pas! que je hurle à Charlotte.

La pauvre est en train de développer une
maladie cardiaque; ça se voit à sa figure
contractée, comme si elle venait d'empoigner
un fer à friser par le mauvais bout.

Elle s'imagine Dieu sait quoi, qu'une main
ensanglantée surgit du plancher, comme
celles qui jaillissent de terre dans les cime-
tières. Le cinéma, ça stimule l'imagination.

Toute la série des *Freddy* lui revient en mémoire.

Malgré la pénombre, je me suis pas trompée, j'ai bel et bien vu une mouffette, avec sa mignonne ligne blanche sur le dos. D'ailleurs, je l'avise qui trottine, pataude, entre les meubles.

— Y a une mouffette qui se promène! que je glapis à Charlotte avant qu'elle trépasse.

— Quoi...? qu'elle sort des limbes.

— Une bête puante, j'te dis! Elle a dû entrer par le trou derrière la maison. Jean-Loup, ouvre-nous! Y a une mouffette!

Comme je crie, j'attire l'attention de «l'arroseuse» et la voilà qui chemine, cahin-caha, vers moi. À quelques mètres, elle stoppe, me considère un moment (ou jauge la distance comme un arpenteur, allez donc savoir!), puis redresse sa queue.

Pas besoin qu'on me fasse un dessin; c'est le signal de la grande douche!

Au détriment des ressorts du canapé, je bondis du côté de la fenêtre pour m'abriter derrière les draperies. À cet instant, la porte s'ouvre et le duo Chapleau entre.

— Y a un problème? sous-entend Jean-Loup.

— Attention à la mouffette! que je m'égosille.

— C'est Séraphine qui t'impressionne de même? trompette Rémi.

Vu le thon (pardon, le ton), je jette un œil et j'aperçois Rémi qui prend la mouffette dans ses bras.

— Séraphine est une mouffette apprivoisée et opérée, aussi inoffensive et affectueuse qu'une chatte. Simplement, elle est coquette et retrousse sa queue comme un paon.

Rigolade. Les deux complices se tirebouchonnent, en récitant des vexants: «On vous a bien eues, hein!?»

— Un peu plus et y en avait une qui se cachait dans l'armure! s'esclaffe Rémi.

«Bonne idée, que je songe, avec la lance, j'aurais pu les embrocher comme des *shish-kebab*!». J'ai le sens de l'humour en train de chuter au-dessous du niveau de la mer.

— Vous faites durs! que je râle.

Ça les fait plier en quatre; même que Charlotte se joint à eux avec des gloussements de dinde en chaleur. Elle les remercierait presque, tellement elle est soulagée. Pensez-donc, une mouffette, comparée au revenant ou au sadique qu'elle redoutait!

Y a que moi qui garde la face longue comme une dictée du ministère, jusqu'à ce que Jean-Loup se lâche un tantinet les côtes et me souffle à l'oreille:

— T'étais sérieuse tout à l'heure quand tu disais qu'il y avait d'autres moyens pour vous faire frissonner...?

J'avais oublié combien il était beau. En regardant son creux d'ombre au menton, tandis qu'il me parle, comme ça, au-dessus du nez, ça me frappe. J'en ai la rancune ramollissante.

— Si on sortait d'ici, fait Charlotte. J'ai besoin d'un grand bol d'air!

— On va en profiter pour ramener Séraphine à ses appartements, dit Rémi. Viens, Phiphine, à la niche!

Et on s'évacue avec Séraphine sur nos talons.

— J'avais déjà entendu parler de gens qui achètent des furets dans les animaleries, mais une mouffette, c'est fort! que j'admets.

— Évidemment, à Montréal, ce serait pas recommandé pour traverser les boulevards!

Comme on met le pieds dehors, un coup de vent nous ébouriffe.

— Ouf! ça fait du bien. J'avais l'impression de tourner *Poltergeist III*, décompresse Charlotte.

— Tu pâlissais sur un chaud temps! que je renchéris.

— Tu t'es pas vue grimper dans les rideaux! On aurait dit un extrait du film *Le peuple singe*, rétorque Charlotte, soucieuse de faire étalage de ses qualités de cinéphile.

— Mais je parie que je te bats aux échasses!, qu'elle poursuit en se dirigeant vers les tiges de bois appuyées contre le puits.

— Ouais! on fait une course! se réjouit Rémi.

64

— Je suis jamais montée là-dessus, que j'argumente, réticente.

— Facile. Je vais te montrer, propose Jean-Loup.

Du coup, je me dis que ça vaut un essai.

Galant, Jean-Loup m'aide à me hisser sur la margelle du puits. Ce dernier est fermé par un couvercle en bois, donc pas de danger. Ensuite, mon moniteur-beau-comme-un-cœur me tend deux échasses moyennes.

— Avant, regarde-moi.

Il prend pied sur des échasses démesurées et se met à se promener avec l'assurance d'un héron. Rémi le suit bientôt avec la même aisance, puis, à ma grande surprise, Charlotte se métamorphose en flamant boitillant à leurs côtés.

«Si Charlotte le fait, que je conclus, ça doit pas être sorcier.»

Je stabilise mes pieds sur les étroites plates-formes et je me donne un air d'aller. Instantanément, je pique du nez. Je me redresse (on dirait que je danse la lambada sans partenaire!), ce qui a pour effet de me projeter le ciboulot contre le seau du puits.

Badagne! J'entends des cloches; heureusement, je suis la seule. Les autres sont occupés à compétitionner et ne se sont pas aperçus de ma déconvenue. Je réessaie mollo: j'assure mon équilibre, puis je me dresse sur mes ergots. Hourra! je réussis à faire un pas. Puis, *kaputt*! je plonge, la tête la première dans le chiendent.

— Les gars, Zoé vient de planter! prévient aimablement Charlotte.

J'ai le visage farci de brindilles et de cailloux. J'en ai même un dans le front comme les Indonésiennes (mais c'est pas une pierre précieuse!). Je ne ferais pas le clown acrobate dans les parcs de divertissement avec les jongleurs; plutôt le paillasse maladroit qui reçoit les tartes à la crème et commet toutes les bévues pour faire rire. Sauf que moi, j'ai pas envie de rire. Non seulement, je me suis faite une prune derrière la cafetière, mais voilà que j'ai une super-bosse qui se développe dans le front. Bientôt, je vais ressembler à une licorne!

— Ta salade de pissenlit va avoir droit à une vinaigrette aux tomates, dit Rémi en me faisant remarquer que je saigne du pif.

Je m'empresse d'appliquer un vieux *kleenex* que j'avais en poche.

— Toi, pis tes idées! que je nasille à Charlotte.

— Ben quoi, c'est pas ma faute, si tu t'es étalée de tout ton long! qu'elle jaspine.

Je l'étriperais. Une fois de plus, Jean-Loup me tempère le chaudron en ébullition.

— Penche-toi pour arrêter le saignement, qu'il me conseille plein de sollicitude.

Il me masse délicatement la nuque. Je serais partante pour l'hémorragie si Charlotte n'intervenait pas encore pour mettre son grain de poivre!

— Regardez le ciel, il va pleuvoir! On fait mieux de se grouiller pour rentrer chez vous.

Jean-Loup arrête de me caresser (malédiction!). Charlotte a raison. Au-dessus de nous, il y a un nuage rébarbatif, prêt à éclater.

— On va prendre les «3 roues» dans la remise, ça va aller plus vite, observe Rémi. Autrement, certain qu'on se fait prendre!

Les deux frères galopent en direction du hangar et en ressortent à califourchon sur des tricycles pétaradants, aux roues volumineuses.

— Je gage que vous êtes pas montées sur un tricycle depuis l'âge de trois ans! Si vous voulez vous donner la peine... s'incline cérémonieusement Rémi en nous désignant les selles de cuir.

De grosses gouttes commencent à nous matraquer.

— Faites vite! ordonne Jean-Loup.

Naturellement, je me dépêche d'embarquer derrière lui et d'enlacer ses bras musculeux. C'est mieux que les *Moments magiques* de *Laura Secord*. J'en ai un court-circuit dans le plexus solaire. Nos vaillants cavaliers démarrent abruptement. On a la sensation de se faire décapiter, tellement c'est sabré. Le fracas de nos bolides est vite enterré par celui de la pluie qui vire au déluge. Des clous, des cordes, des cataractes, appelez ça comme vous voulez, mais ça afflue tellement que ça forme rideau.

Le plus sage serait de faire demi-tour vers l'auberge, mais inutile d'y penser. Les gars sont dans leur élément, heureux comme des poissons dans l'eau, c'est le cas de le dire. Ça les survolte ces trombes de flotte qui leur cascadent sur la patate. Ils mettent la sauce, en poussant des cris de rodéo. Ils veulent nous donner un échantillon de leurs prouesses en moto-cross, version véhicule tout terrain. Ça carambole, zigzague, dérape, vacille, éclabousse. La super embardée!

Si on trouvait ça houleux derrière le 4 x 4 de Chapleau, sur les 3 x 3 des neveux matamores, c'est la descente motorisée des rapides de la rivière Rouge, sans ceinture de sauvetage! Ils foncent dans les trous, fourragent dans les torrents; on est catapultés, la boue gicle de tous bords, tous côtés. Charlotte regrette de ne pas avoir pris l'option essuie-glace pour ses «bernicles», mais c'est trop tard, sas carreaux sont obstrués par une riche poutine qui lui dégouline sur la frite.

Quand on parvient à la maison, l'averse cesse brusquement. On met pied à terre, ruisselants et pantelants.

— Ça, c'est du sport! exulte Rémi.

Charlotte et moi, on est partagées entre l'envie de pleurer comme des fontaines (ça pourrait nous décrotter) et celle de crever les

68

boudins des tricycles. On est au bord de la crise de nerfs, mais on veut pas passer pour des mémères, alors motus. On fait comme si, oui, ça avait été super la cavale sur leur tas de ferraille.

Est-ce parce qu'ils ont cru à l'apparition d'une tribu inconnue ou de créatures des marais, toujours est-il que mon père, Claude Chapleau, son frère et sa femme, sortent timidement sur le perron pour nous examiner.

— Salamandre! Voulez-vous me dire d'où vous sortez? s'exclame mon père.

Charlotte et moi, on est figées sous notre masque de boue 100 % naturelle (dire que ma mère paie une esthéticienne pour s'en faire colmater de pareil!).

Charlotte craquelle la première:

— On a fait une super *ride* de moto! qu'elle balance pour faire la fille-déniaisée-et-sportive-au-coton.

Elle ferait mieux de nettoyer ses hublots avec une truelle et un boyau d'arrosage, plutôt que de dire des conneries! Mais, vu que j'ai jeté mon dévolu sur Jean-Loup, elle veut finasser devant Rémi.

— Eh ben! j'espère que vous avez apporté de quoi vous changer! Vous feriez fuir un banc de piranhas affamés! se déconcerte mon père.

Chapleau prend le relais:

— Peut-être que vous préféreriez rester ici, au chaud, avec Rémi et Jean-Loup? Je

69

suis sûr qu'ils ont autre chose à vous montrer dans le coin. Y a un moulin, une grotte, des chutes.

— C'est vrai, confirme Jean-Loup en me souriant de ses magnifiques trente-deux dents que j'aimerais bien inventorier, personnellement.

J'en frétille et j'en rosis d'avance sous ma couche de fond de teint fendillante. Charlotte, elle, mouille de partout; on la sent prête à être ramassée à la petite cuillère. Chapleau prépare déjà son épuisette.

Le charme, tu l'as ou tu l'as pas. Les jumeaux l'ont! Ils ont eu beau se comporter comme deux veaux depuis notre arrivée, ils nous font encore un effet bœuf.

— Tu peux rester, si tu veux, ma petite anémone... vaporise délicatement mon père à mon intention.

Ces paroles mielleuses me ramènent sur terre. C'est le jet d'encre de la pieuvre dans le lagon bleu où Charlotte et moi, on batifolait. Il ne m'avait pas servi ces minauderies depuis longtemps. Devant le monde, ça m'horripile doublement et ça me démontre qu'il doit être passablement embêté pour recourir à ce vieux procédé. Mon emballement baisse d'un cran, de deux, puis de trois... Au bout du compte, je m'ébroue, je me redresse et j'attrape Charlotte par un aileron pour l'entraîner vers la maison.

— Une autre fois, p'pa. Là, on va se débarbouiller et on part avec vous.

Poum!

C'est ça le self-control.

7

Quelle galère!

Charlotte se cantonne de nouveau dans sa mauvaise humeur et dans l'encoignure de la porte de la jeep. «Le devoir avant tout», c'est pas une notion qu'elle partage avec moi en ce moment. Malgré les tours que les jumeaux nous ont joués, elle serait volontiers demeurée avec eux, au lieu de continuer à chaperonner mon père et Chapleau. Elle a une crotte sur le cœur.

— Des gars beaux comme ça, on n'est pas près d'en retrouver, ma vieille! qu'elle m'a reproché en retirant rageusement ses fringues fangeuses.

Cette réflexion-là, elle va me la radoter jusqu'à son lit de mort.

— Je suis pas sûre que ton beau Martin Lebeau apprécierait..., que je lui ai objecté.

Mais elle a haussé les épaules et s'est renfrognée.

Depuis, on roule en silence sur les routes en lacet qui mènent au camp de Chapleau. Tout le monde boude. Pas facile de représenter le bon droit.

On suit bientôt une Renault bardée de bagages, dans laquelle un petit gars agenouillé sur la banquette arrière, nous fait des signes d'amitié. Mais ça ne détend pas l'atmosphère. Personne ne lui rend ses *bye! bye!* Il doit nous trouver bouchés.

Une abeille entre et se cogne partout comme une balle de squash, avant de se poser sur le tableau de bord. Elle non plus n'apporte guère de diversion. Elle doit se croire dans un musée de cire, devant nos portraits inexpressifs. Pourvu qu'elle n'entreprenne pas de nous faire des dépôts dans les cages à miel!

Chapleau décrit un virage, traverse un pont vermoulu, longe des arbres roux dont le bas feuillage lèche le pare-brise; puis de but en blanc, il franchit un fossé et attaque le bois de plein front.

Ça cahote méchamment. Charlotte en devient verdâtre. Je ne sais pas si c'est l'effet de la liqueur au bleuet que Gérard Chapleau nous a obligées à biberonner avant de partir (sous prétexte de nous éviter une grippe après nos péripéties sous la pluie), mais Charlotte semble avoir une nausée. La voilà qui passe la tête par la portière comme un chien, la langue flasque, quand une branchette lui fouette la margoulette et décroche ses lunettes.

Ça lui prenait ça pour lui faire retrouver sa voix mélodieuse.

— Mes lunettes! qu'elle aboie.

Chapleau applique les freins en catastrophe, comme si elle avait crié «Gare au train!» à un passage à niveau. En chœur, on refoule vers l'avant et on se pète la fiole. En ce qui me concerne, ça fait la deuxième fois et je commence à avoir le faciès en forme de cratère lunaire.

À la volée, Charlotte ouvre la portière et la rabat durement contre une roche. Bang! Chapleau grimace; Charlotte aussi en avisant ses lunettes avec un carreau en miettes, au milieu des fougères.

C'est mal parti. Charlotte avait raison de le redouter, ce voyage. Son horoscope ne devait pas être favorable. Si ça continue, elle va s'en souvenir plus que de son voyage de noces!

— Pas de chance... que je compatis.

Mais ma compassion, Charlotte, elle se la met où vous savez.

Elle enfile ses lunettes si hargneusement qu'elle manque de se foutre une branche dans l'œil, puis elle me foudroie de son regard borgne en rogne.

— *Et maintenant, que vais-je faire*?! qu'elle tonne en entonnant la très belle chanson de Gilbert Bécaud, trois octaves plus haut.

— Tu pourrais toujours t'installer un bandeau de pirate, que je suggère.

Puis j'enchaîne, pour ne pas me faire tuer:

— T'avais pas apporté tes lunettes de soleil?

Son œil de cyclope s'agrandit en entrevoyant la solution proposée.

— C'est vrai, elles doivent être dans mon sac à dos!

— On est plus loin du camp, les filles, signale Chapleau. Vous serez plus à l'aise pour fouiller dans votre paquetage.

De fait, il nous charrie encore un peu, puis stoppe son tombereau devant une cabane style «La petite maison dans la prairie», en moins grand. Pas du tout le douillet chalet d'amoureux, plutôt le relais de secours miteux.

C'est en bois rond, avec éclairage et ventilation à volonté par les interstices échancrés. Très écologique, avec végétation luxuriante tapissant les pourtours. On y retrouve, en talles, plusieurs espèces de champignons; certains en forme d'ombrelle ou de capuchon, d'autres de phallus.

On s'essuie les pieds sur un tapis moussu, la porte grince comme cent girouettes rouillées, puis l'intérieur nous est livré: lits de fer superposés, poêle à tuyau carbonisé, table de pique-nique, bancs rugueux. Au mur: peau de mouton galeuse et châssis de la dimension d'un timbre.

— V'là la tanière! triomphe Chapleau. Pas le grand luxe, mais fonctionnelle.

Pour nous le prouver, il ouvre une armoire où s'empilent de la vaisselle ébréchée et des casseroles bosselées. Charlotte et moi, on le regarde avec des mines de rats malades.

Sur une plaque de bois sculptée, au-dessus d'une tablette où est posé un fanal, on peut lire: BIENVENUE.

Que voulez-vous de plus?

— Tu ferais bien de rayer l'émission PARLER POUR PARLER de ton horaire, ma vieille. Du «Janette-Bertrand», t'as pas la tête assez forte pour ça. Tu fabules, tu transfères, tu détraques! Ah! il est douillet à souhait le nid de tourtereaux de ton père et son coco. Lit d'eau, draps satinés, lampe tamisée, musique feutrée. Le rêve. L'intimité. On voit tout de suite qu'ils voulaient s'envoyer en l'air!

Charlotte me sert son sermon des grands jours. Ça coule comme de l'eau de source ou du pus d'un abcès, si vous préférez. Je la laisse déverser son trop-plein. De toute manière, ça déborde, pas moyen d'endiguer. Faut attendre que ça se tarisse en pianotant sur le plancher lézardé, sur lequel on est étendues dans nos sacs de couchage. Mon père et Chapleau bavardent dehors, à côté de la jeep. On les entend déblatérer contre la saison de base-ball qui tire sur sa fin et les Expos qui tirent de la patte.

— Ah! tu m'y reprendras plus à écouter tes âneries, tonitrue Charlotte. Tes histoires à dormir debout, je vais les voir venir. Tu m'entortilleras plus comme une bouclette de grand-mère. C'est pas parce qu'on a été voisines de landau à sept mois que tu peux me demander de marcher sur la tête, au nom de l'amitié. Nooooon, madame! C'est fini, ce temps-là! J'ai plus la santé pour. Je suis au bout de mon rouleau. Je suis malade, t'entends!

— Tu te prends pour Serge Lama, à c't'heure? que je rigole.

Elle y voit de la provocation.

— Tu te penses fine, hein? On sait bien, moi ce que je dis, c'est de la «snoute»! Je manque d'imagination. Eh ben! je vais te dire une chose: toi, t'en as trop, ça frise la démence! À croire que ta mère te lisait Agatha Christie au berceau. J'en ai plein le dos de tes divagations à répétition. Déjà, avant le primaire, tu voyais des mystères. À la gar-

78

derie, il manquait toujours un *smartie*, précisément dans ta boîte! Le soir, dans ton lit, tu te contentais pas de penser qu'un ogre se cachait dans ta garde-robe, comme la plupart des enfants, tu soupçonnais qu'il venait en douce dévisser tes dents de lait. Et je parle pas des Noëls où tu prenais soin de vérifier si t'entendais pas le tic-tac d'une minuterie, avant de déballer tes cadeaux. Ça date, tu vois. J'invente pas. T'es mûre pour la psychologue de l'école, ma vieille. J'ai rien que ça à te dire! Lever le nez sur l'invitation de deux super beaux gars comme on en voit seulement dans les vues ou les catalogues, pour venir servir de chiens de poche à deux mollusques... Faut être anormale.

En se contorsionnant, elle effectue un tour complet dans son sac de couchage (on jurerait le grand Houdini en train de se dépêtrer d'une camisole de force!), puis j'ai droit à un supplément de programme.

— Quand j'y pense: être obligée d'aller pisser à l'aveuglette dans le bois, et de s'essuyer avec des feuilles de j'sais pas quoi. Ce serait de l'herbe à puce dont je me suis servie, j'serais pas surprise. J'ai les fesses qui me démangent.

Là-dessus, elle se trémousse dans son sac, comme une chenille à qui on aurait mis du poil à gratter dans son cocon.

La noirceur tombe d'un coup sec. Boum! Chapleau et mon père rentrent à tâtons et en

bayant aux corneilles. Charlotte ravale ses li-
tanies; y a au moins ça de bon. Ça bloque
comme un tourniquet de jardin dont on
coupe le jet, en apercevant une auto de po-
lice tourner le coin, en période de canicule.

— Au dodo! exhorte Chapleau. Demain,
faut se lever au p'tit jour!

Il n'a pas aussitôt monté la fermeture éclair
de son sac de couchage, qu'il ronfle comme
un orgue de cathédrale. Il enterre tous les
grillons et les ouaouarons qu'on entendait
déjà, vu que notre bicoque possède des
murs aussi insonorisés qu'une case ja-
ponaise.

— Bonne nuit, les filles, chuchote mon
père.

Et il ajoute en sourdine:

— Zoé, j'pensais jamais que t'allais préfé-
rer ton père à des gars comme Rémi et Jean-
Loup. Ça me touche.

Et sa voix s'étrangle, mais je me demande
si c'est pour retenir une émotion ou un fou
rire...

À votre avis?

8

Le bec à l'eau

Au petit matin, ça sent la ménagerie dans notre cagibi. Le pet en circuit fermé et les chaussons malmenés.

Chapleau s'étire en se grattant le bas du ventre et en ramonant ses muqueuses dans un mouchoir. Beurk!

— Debout, enfants de la patrie! L'heure de gloire est arrivée! qu'il barrit en ouvrant l'armoire, en s'emparant d'une bouilloire qui a dû faire la guerre de 14, et en soulignant qu'il va chercher de l'eau au ruisseau.

Si j'ai comparé Charlotte à une chenille dans son cocon au début de la nuit, c'est pas un papillon qui en sort à l'aube, je vous l'atteste! Au mieux, une noctuelle fripée, ces insectes aux ailes brunes qui virevoltent le soir autour des lumières.

Je ne suis pas non plus de la première fraîcheur. J'ai la bouche en fond de cage de perroquet. On ne pourrait pas m'appeler «perle de rosée», ça non!

Mon père effectue quelques mouvements de gymnastique pour se dégourdir les jambes, puis il expédie deux rondins et du papier journal dans la trappe du poêle, en y mettant le feu. Très vite, ça crépite.

— Un p'tit café va nous retaper. Après, on mangera les fruits que vous avez apportés.

Chapleau rapplique, en affirmant que c'est un petit matin brumeux, tout ce qu'il y a de propice pour la pêche.

Cinq minutes plus tard, on s'envoie une gorgée d'eau de vaisselle instantanée préparée par mon père. Ça tient du rince-bouche et du décapant. À défaut de réveiller complètement, ça surprend.

On croque une pomme pour changer le goût, et, nantis de provisions, de cannes à pêche et de bourriches, on part à la suite de Chapleau.

C'est pas la jungle amazonienne dans laquelle il faut se frayer un passage avec des machettes, mais après le boisé des jumeaux et le parc Lafontaine, Charlotte et moi, on n'a pas connu plus sauvage.

Les oiseaux turlutent. Ça sent bon l'humus, la résine et la terre mouillée. Dans les taillis, un suisse trotte avec une noisette. Le lac est à deux pas: un beau bassin rond tracé au compas et dans lequel se mire la forêt. On perçoit le léger battement de l'eau contre les berges. Celles-ci sont tantôt truffées de quenouilles, tantôt parées de nénuphars posés comme des pastilles vertes en flottaison. Tout est calme, enveloppé dans le matin ouaté. On dirait une belle toile automnale. Des éphémères maraudent à la surface de l'eau, vous savez ces bestioles qui ressemblent à des libellules. Les larves vivent deux ou trois ans, les adultes, eux, de quelques heures à quelques jours. Fichu destin!

— C'est ma confection, se vante Chapleau en désignant un petit quai qui s'avance dans le lac. Dessous, bien amarrée, il y a une chaloupe que je laisse ici pour la saison.

Ho! hisse. On fait les moussaillons, en s'arc-boutant à une corde attachée à une poutre. Une embarcation ne tarde pas à pointer son museau.

— Partons, la mer est belle! débite Chapleau, nous rebattant de nouveau les oreilles avec son répertoire folklorique.

— Si ça ne vous fait rien, Charlotte et moi, on va rester pour pêcher sur le quai. Vous serez plus à l'aise dans la chaloupe, que je commente.

— C'est bien les femmes! Vous voulez papoter, je suppose? Vaut mieux que vous restiez ici. La bavasserie fait fuir le poisson, affirme mon père qui, de toute évidence, ne se fend pas en quatre pour nous emmener.

Ça ravive mes doutes.

Nos deux marsouins prennent place dans la barque et s'éloignent.

Évidemment, Charlotte qui s'était retenue jusqu'ici, ne tarde pas à chialer. Elle remonte ses verres fumés qui lui donnent un air incognito de starlette pimbèche (ou de femme battue sur la brèche!).

— Qu'est-ce qui te prend? Tu colles plus à ton père comme une ventouse? T'as enfin compris le bon sens? qu'elle fanfaronne.

Pour toute réponse, j'extirpe une paire de jumelles de dessous mon anorak.

— Des longues-vues! Bravo, tu m'étonneras toujours, qu'elle laisse tomber. Encore beau que ce soit pas un équipement d'homme-grenouille que t'aies apporté pour sonder la chaloupe.

— J'ai réfléchi. Si on se tient avec eux, rien va arriver et je saurai jamais si mon père est homosexuel. Tant que j'aurai pas la certitude, je pourrai pas l'affronter, tu comprends. C'est pas comme si je lui demandais s'il a joué dans le dos de ma mère, en bouffant une pizza double fromage. C'est autrement plus grave qu'une question de cholestérol. Si j'aborde le sujet, faut que je sois super sûre. Je peux pas lui demander s'il est gai, à tout hasard, juste pour savoir.

84

— Alors tu vas les épier, pour voir s'ils vont pratiquer les trente-six positions dans leur embarcation? Tu me fais pitié, Zoé. J'aime mieux tendre une ligne, tiens.

Et Charlotte s'assied au bout du quai, la mine aussi morne que celle de la rainette qui la reluque depuis son fragile radeau vert.

Moi, je laisse Chapleau et mon père ramer jusqu'au milieu du lac et, quand je suis certaine qu'ils ne peuvent plus me voir, je scrute avec mes jumelles.

Malheureusement, une petite brume en suspens me pose quelques problèmes. Sans décoller mes yeux des lentilles, je me retourne du côté du bois pour les ajuster.

Chose bizarre, je ne vois qu'une masse sombre, une sorte d'espèce de cavité qui me pulvérise une buée chaude sur l'objectif. Je baisse mes lunettes et je comprends pourquoi: elles sont braquées sur la narine monumentale d'un orignal phénoménal! Son panache est tellement ample et ramifié qu'il pourrait servir de portemanteau à une colonie d'Esquimaux. On doit se sentir la tête lourde à trimballer pareille antenne sur son chapiteau!

Je ne prends pas le temps de vérifier si c'est plus efficace que le câble. Après ce bref gros plan, trop commotionnée pour crier, je déguerpis, voltige par-dessus Charlotte et je me précipite tête baissée dans le lac. Splash! En maîtrise et en finesse de style, mon plongeon n'égale pas celui de Sylvie Bernier, médaillée d'or aux Jeux olympiques de 1984, mais étant donné que je l'ai effectué sans tremplin, ça se défend.

Quand je refais surface, c'est pour me heurter aux reproches de Charlotte.

— Qu'est-ce qui te prend? Tu vires dauphin? Tu comptes quand même pas nager tout habillée jusqu'à la chaloupe? Tu vas attraper ton coup de mort!

Tout ce que je peux faire, c'est lui pointer le bois derrière. Elle se retourne.

— Quoi? Qu'est-ce qu'il y a derrière? Le monstre du Loch Ness en train de se faire griller sur le rivage?

— Un orignal! que je brame.

— Ah... De toute façon, c'était pas une raison pour sauter dans le lac.

Je tente de m'approcher du quai, mais je suis empêtrée dans la ligne que Charlotte a mise à l'eau.

— Attends, je vais t'aider. Arrête de gigoter! T'es pire qu'un barracuda! qu'elle s'amuse en tendant son filin. C'est moi qui aurai fait la meilleure prise du jour!

Lorsque je suis assez près, elle m'agrippe par le fond de culotte et me tire sur l'appontement.

Mes vêtements dégoulinent; ils sont lourds comme du plomb. Je grelotte; j'ai l'air d'un toutou trop exténué pour s'ébrouer.

— Retournons au cabanon. On va allumer le poêle pour te faire sécher, décrète Charlotte.

Cette fois, je la suis sans renâcler. J'ai trop le nez bouché.

Charlotte a étendu mon trousseau sur une corde à linge de fortune. Elle fait le guet à la minuscule fenêtre dépolie pour intercepter mon père et Chapleau, advenant qu'ils rappliqueraient subito presto. Depuis nos tribulations en moto, j'ai plus de vêtements de rechange. Je me tiens recroquevillée, dos au poêle, pour m'enrober de chaleur. J'ai le moral à zéro et une ecchymose grande comme l'Amérique centrale sur la cuisse gauche, séquelle de ma chute en échasses.

— Mes jumelles... que je grommelle, déconfite. Elles sont restées dans l'eau. Mon père me les avait offertes à mon dernier anniversaire. Il passait son temps à me les emprunter. Comment je vais lui expliquer que je les ai plus, la prochaine fois?

— Naturellement, plutôt délicat d'avouer à ton père que tu les as perdues en faisant la voyeuse au bout du quai, convient Charlotte. Quant à les retrouver... Le lac de Chapleau, c'est pas une piscine, ni les îles Fidji. Ça ressemble davantage à une soupe minestrone. Faudrait draguer le fond avec un grappin ou descendre en scaphandrier. T'as le choix, tu vois.

J'ai même pas la force de riposter à ses railleries. Je la laisse dévider le moulinet de ses sarcasmes.

— V'là nos Popeye qui reviennent. Tiens-toi prête, Olive! qu'elle annonce en quittant la fenêtre et en entrouvrant la porte... Vous pouvez pas entrer. Zoé est en train de se faire sécher, après être tombée à l'eau!, qu'elle avertit.

Ça les décontenance un brin ce refus d'entrer, puis mon père explose:

— Voulez-vous me dire à quoi vous jouez? Toi, Zoé, suffit que je t'amènes à proximité d'un bassin: tu te flanques dedans! Et puis, vous deviez nous accompagner pour apprendre à pêcher, mais vous vous êtes toujours débinées. C'est quoi l'idée?

— Je suis tombée dans le lac parce qu'un orignal m'a fait peur, que je justifie.

— Un orignal! se démonte mon père.

— Probablement celui qui rôde autour du camp, assure Chapleau, à ma rescousse. Je lui ai déjà donné à manger. Depuis, il n'a pas peur de s'aventurer dans le secteur.

L'explication modère les transports de mon père qui se fait plus doucereux.

— T'as rien, au moins, Zoé?

Quand j'étais petite, il s'informait d'abord de ma santé avant de m'engueuler comme du poisson pourri. Maintenant, j'ai droit au savon en premier. Le tout sous prétexte qu'on est plus responsable de nos actes en grandissant. Un des privilèges du monde adulte. Soit dit entre nous, celui-là, on s'en passerait!

— Je vais bien. C'est juste que mon linge est encore humide. Faut que j'attende qu'il sèche.

— On a attrapé des dorés qu'on comptait faire cuire sur le poêle pour le dîner. Du bon poisson frais, c'est meilleur que des sandwichs. T'en as encore pour longtemps? quémande mon père.

— Y a rien là! fait Chapleau, fin comme une soie. On va se les faire à la bonne franquette, au-dessus d'un feu de camp. J'ai pas été chef scout pour rien! Zoé, continue de te sécher! François, va ramasser des fagots! Charlotte, sors le poêlon dans l'armoire! Moi, je m'occupe des pierres.

Tout le monde écoute «Pingouin débrouillard» qui, je l'imagine, a dû être son nom de scout. En moins d'une demi-heure, je suis rhabillée et je rejoins les autres assis à l'indienne sur un tapis d'aiguilles de pin. Le mini-brasier danse gaiement, variant à chaque seconde, fusant, craquant, grésillant, s'effondrant, puis gerbant de nouveau. Dans le poêlon, le doré a l'air bon. Chapleau l'a assaisonné de petites herbes qu'il a cueillies dans le bois; ingrédients secrets révélés par des montagnards. «On lui en dira des nouvelles!», qu'il prophétise.

Un filet de fumée monte comme de l'opium. Le petit feu m'engourdit. Chapleau nous parle de ces habitants des montagnes, pour qui la nature n'a plus de secret, et moi je me demande quelle est la nature de son secret à lui. La note retrouvée dans le sac d'ordures revient me turlupiner semblable à un vieux refrain. Je l'ai d'ailleurs emportée avec moi dans mon barda. C'est ma pièce à conviction, celle qui malgré tout ce qui peut se passer, me ramène à la case de départ.

Rendez-vous à ton bureau, tel que prévu. J'ai hâte de faire ce voyage avec toi. Tu m'as tellement manqué. Je t'embrasse. Cloclo.

Avouez que c'est un peu beaucoup intime pour deux anciens camarades de classe, et c'est pas non plus le genre de message qu'échangent généralement des amateurs de chasse et pêche, des «VRAIS» comme ils beuglent dans les réclames. À moins qu'ils ne soient aussi deux «VRAIS» amants de la nature...

9

Marée basse

— Ça y est, c'est à point! claironne Chapleau en retirant son poêlon des flammes.

Charlotte salive à vue d'œil, tout juste si une stalactite ne lui pend pas des babines. Elle goberait n'importe quoi. En ce qui me concerne, Chapleau peut me faire manger des dorés, mais il ne me fera pas avaler des couleuvres! Je pignoche dans mon assiette, mettant mon manque d'appétit sur le compte de la tasse que j'ai bue dans le lac.

Après ce court repas, Chapleau éteint soigneusement le feu et nous voilà tous repartis en direction du bassin. Il semble que, cette fois-ci, Charlotte et moi, on soit dues pour la croisière à quatre. Pourtant, que je me dis, ça ne doit pas les enchanter plus que nous.

Je suis confirmée dans mes soupçons quand Chapleau, penaud, soulève le faux-fuyant suivant:

— J'oubliais, j'ai seulement trois gilets de sécurité... C'est bête, hein?

Je m'esquive.

— De toute façon, moi, après mon bain forcé, j'ai pas bien le goût d'aller voguer sur l'eau. Et puis, toi, Charlotte, tu me disais que tu te sens à la merci des bébites, au milieu d'un lac. Bref, Charlotte et moi, on va essayer de pêcher ici, sur le bord. Si ça mord pas, on va rentrer lire dans le chalet. On s'est apporté des revues. J'pense que je suis pas douée pour la pêche, p'pa. T'auras peut-être plus de chance avec Nicolas.

— Salamandre! j'suis mieux d'être patient, rouspète mon père.

— Bon, en route pour la pêche miraculeuse! rayonne Chapleau.

Ils ne se sont pas aussitôt écartés de la rive que Charlotte embraye:

— Qu'est-ce que tu manigances encore pour les espionner? Tu veux grimper dans un arbre ou t'accrocher à un vieux tronc à la dérive?

— Ce que j'ai trouvé est beaucoup plus reposant.

— Ah? tu veux faire la planche sur le lac? Je te préviens que t'as pas les flotteurs pour! qu'elle ricane en faisant allusion au fait que je suis plate comme une limande.

— Tu seras toujours jalouse de mon phy-
sique de mannequin! que je réplique. On va
simplement les attendre, en se prélassant sur
le toit du chalet. Je vais épingler une note à
la porte, disant qu'on est parties explorer le
bois, pas loin, pas longtemps. Se voyant
seuls, ils vont être naturels. On aura qu'à
tendre l'oreille pour tout capter. Ensuite, vu
qu'on va tarder, ils vont sûrement effectuer
une petite battue dans les alentours. On en
profitera pour redescendre et les appeler,
comme si on revenait du lac.

— Sur le toit du chalet... reprend Charlotte. J'aurai tout entendu. Et comment qu'on
va y monter sur le toit? On est pas des arai-
gnées, ni des kangourous!

— La cabane est basse et j'ai remarqué
qu'il y avait une corde de bois derrière. On
va l'arranger de telle façon qu'elle nous serve
d'escabeau.

— Et on va mariner tout l'après-midi sur la
toiture, à recevoir des cocottes sur le coco-
tier! Beau plan de singe!

— J'ai apporté ma radio. On va écouter
de la musique en relaxant. Vers la fin de
l'après-midi, quand nos marins d'eau douce
vont être sur le point de revenir, on étein-
dra le poste et on les guettera en feuilletant
des magazines. Mon programme en vaut
un autre, et puis on risque pas de tomber
nez à nez avec un original trop amical.
T'as mieux à suggérer? Tu veux te con-

fectionner un herbier ou récolter des vesses-de-loup?

— O.K., on va se jucher comme des dindes, en espérant que ça n'attire pas la pluie, concède Charlotte. Au moins, c'est pas fatigant.

Mon micmac est mis à exécution. Je rédige un petit mot et le fixe en avant de la baraque, puis on escalade les bûches. Le toit est plat et on l'atteint en un tournemain, sans tour de reins! Des coussins de la jeep nous servent d'oreillers. On met le transistor entre nous, avec des canettes de boisson gazeuse et on dételle. Franchement, depuis le début du voyage, c'est nos meilleurs instants.

L'air est doux. Le soleil fuse entre les branches; un soleil voluptueux de septembre. C'est plein d'odeurs parfumées et de bruits furtifs. Du haut d'un sapin, un merle nous regarde en agitant nerveusement sa petite caboche. La cime des arbres se balance paresseusement. Dans le ciel, des paquets de nuages s'amoncellent, puis s'évanouissent.

La radio joue: «Je voudrais voir la mer...», de Michel Rivard. En fermant les yeux, on se sent rouler avec les vagues. Moment exquis, subliminal. On capote, on flotte. C'est beau la vie!

— Salamandre! Voulez-vous me dire ce que vous faites perchées sur la couverture?!

L'exclamation nous tire de nos rêveries, pareille à une crampe dans le gras de jambe au milieu de la nuit. Charlotte et moi, on lève la tête comme deux malheureuses attachées à une voie ferrée, qui voient surgir le train pour les écrabouiller.

Mon père est monté sur le capot de la jeep et il nous contemple en se gondolant autant que la tôle ondulée de notre terrasse improvisée.

— Il est quelle heure? que je peux simplement formuler, chiffonnée.

— L'heure de partir. Quand on s'est pointés, on a aperçu votre note sur la porte, mais comme y avait une radio qui jouait, on s'est mis à chercher d'où ça venait. Votre excursion dans le bois a été courte, on dirait. C'est plus le temps de se faire bronzer, vous pensez pas?

— Heu... on s'est assoupies, que je bafouille en entreprenant de descendre de mon perchoir tandis que mon père dévale du sien.

— Cet après-midi, seulement une couple de brochets ont daigné mordre, s'apitoie mon père. Dommage! je pensais ramener une belle pêche à ta mère. Qu'importe, ça a été un après-midi agréable. On s'est relaxés en masse.

«À qui le dis-tu!, que je me reproche. Même que Charlotte et moi, on a trop relaxé: on a carrément perdu la carte!»

—Ramassez vos petits, mes agneaux! J'vous ramène au bercail, en criant ciseau! pétille Chapleau.

Il paraît satisfait de son après-midi, le gros nono. Trop à mon goût. Chacun remballe ses affaires et on reprend la route et ses ornières.

J'ai le caquet bas. De la bande, c'est moi qui reviens le plus bredouille. Charlotte n'a pas manqué de me le mettre sur le nez, en me recommandant d'attendre encore avant d'ouvrir mon agence de détective. Le secret de la Labatt Bleue, je suis pas celle qui va le découvrir!

Elle a raison: j'ai pas avancé d'un pouce dans mes investigations.

Au dossier *Les amitiés particulières de mon père*, le mystère reste entier. J'ai tourné en rond.

Pendant qu'on roule silencieusement, j'observe mon père à la dérobée. Les ombres des grandes épinettes passent doucement sur son visage. Sa barbe a commencé à pousser. Il fait un peu collégien. Il cligne des paupières. Quand j'étais petite, on se livrait des batailles de cils, en appliquant nos figures l'une contre l'autre et en papillotant très fort. Ça me faisait rire à tous coups.

J'ai une boule dans le goulot. J'ai peur de le perdre, sans trop savoir comment ni pourquoi. Je le sens loin de moi. Est-ce que c'est encore des idées que je me fais?

Le vague à l'âme, ça doit être ce que je ressens. Dans la jeep-concasseuse, j'ai le cœur au bout des lèvres, mais il existe pas de petit Gravol pour ce malaise-là. Alors, je me retiens.

De temps en temps, un buisson frotte ses branches aux portières. Chapleau allume ses phares et un siffleux franchit la coulée de lumière pâlotte devant nous. Sur les lacs qu'on apercoit, troués par des squelettes d'épinettes, la face de l'eau se ride.

— Regardez, des digues de castors! indique Chapleau.

«J'ai déjà assez de misère à retenir mon propre barrage», que je rumine en ravalant mes larmes.

Charlotte sent bien que j'ai les bleus et que, même si c'est elle qui a les verres fumés, c'est moi qui voit tout en noir. Elle remise ses moqueries et essaie de me distraire avec nos projets de la polyvalente. Cré Charlotte! Malgré les craques qu'on s'envoie, je sais que je peux compter sur elle et elle sait que c'est réciproque. On se lâchera pas.

Sorti des labyrinthes montagneux, Chapleau prend la première bretelle pour l'autoroute. On se fait moins tabasser, mais on a l'impression d'être à bord d'une Formule I. Si je ronge mon frein, Chapleau, lui, ne l'usera pas à appuyer dessus; c'est plutôt l'accélérateur qu'il risque de défoncer. Il se croit en Europe, sans limite de vitesse. Ça accentue ma morosité d'entendre geindre sa jeep cravachée. On dépasse des roulottes, des poids lourds, des camions-citernes, des remorques avec des maisons usinées sur leur plateau. Je sais pas si c'est le coucher de soleil rougeâtre qui excite Chapleau, comme la cape du toréador excite le taureau, mais la fumée lui sort presque des naseaux! À ce régime-là, ses pneus vont sentir le roussi avant longtemps et on se croira à Saint-Amable!

Le nez aplati sur ma vitre, je vois défiler le paysage comme un film en accéléré. Il prend des allures de science-fiction, lorsqu'on croise les lignes de transmission d'énergie électrique d'Hydro-Québec. On dirait des robots gigantesques dressant leurs bras d'acier vers l'immensité. Tout de tiges et de fils. Curieux pantins! Ils me rappellent les statues géantes de l'île de Pâques, que j'ai vues en reportage. Des statues mégalithiques (qui remontent aux dinosaures) s'élèvent sur l'île, pareilles à de fabuleux menhirs (plus gros que ceux d'Obélix!). On ne comprend pas comment elles ont pu être édifiées, sans bulldozers ni grues. Toutes sortes de théories sont échafaudées. Par exemple, des extra-terrestres seraient venus les ériger comme repères, pour leurs vaisseaux spatiaux. Dans des cavernes de l'endroit, on a découvert des dessins évoquant de curieux astronautes.

Des fois, j'aimerais être enlevée par des ovnis. Du haut du cosmos, la terre me paraîtrait bien petite et peut-être mes problèmes aussi...

10

La mer qu'on voit danser, le long des golfes clairs

Je ne suis pas fâchée quand Chapleau enfile la cour de notre bungalow. Charlotte et moi, même si on a les fesses en compote, pas besoin de sièges éjectables pour nous décoller de la jeep. Cette dernière a encore des tressautements, des piaffements, après s'être faite éperonner.

— J'vous laisse le bonsoir... commence le dompteur de chevaux-vapeur.

— Pas question! s'indigne mon père. Si tu veux pas rester pour souper, viens au moins prendre un café. Tu le mérites.

Le cow-boy courbaturé ne se fait pas trop prier. Quant à moi, j'invite Charlotte, vu que, chez elle, l'heure du souper doit être passée depuis belle lurette; et puis, elle ne doit pas être pressée de se pointer avec ses lunettes de soleil, pour déclarer que les autres en plastique-ultra-mince-anti-reflet ont viré lorgnon.

Primesautière, ma mère nous interpelle par la moustiquaire:

— Passez par la cuisine pour faire moins de bruit. Je viens de coucher Nicolas.

À peine entrés, on tombe sur M. Bobichard, notre voisin français, le maniaque à la tondeuse. C'est la première fois que je le vois sans son béret et je comprends pourquoi. Il porte une perruque qui ressemble à des spaghettis coagulés. C'est archi-laid, mais ça ne l'empêche pas d'afficher un sourire radieux, sous sa moustache taillée au coupe-bordure

— Au cas où vous n'auriez pas fait bonne pêche, mes amis, je me suis permis d'apporter de quoi compenser! qu'il justifie.

Et il montre une cargaison de homards cuits sur le comptoir, à côté d'un récipient encore bouillonnant sur la cuisinière.

— Salamandre! vous êtes un devin, se pâme mon père qui adore les crustacés.

Bobichard enchaîne à son intention:

— Mon fils Clovis est arrivé de Paris, où il demeure avec sa mère. Comme il ne vient pas souvent me visiter, j'ai pensé lui organiser une petite fête avec du homard expressément commandé des Îles-de-la-Madeleine. Par la même occasion, si vous le permettez, j'en profiterai pour faire plus ample connaissance avec vous, mes voisins. Clovis a le même âge que votre fille, ils pourront sûrement s'entendre. Je compte l'amener dans le beau comté de Charlevoix, mais auparavant, il aimerait voir le Vieux-Port, le Stade olympique, le mont Royal, le groupe Rock et Belles Oreilles qui est en spectacle et dont il a entendu parler... Même si je lui ai beaucoup manqué, je suis convaincu qu'il apprécierait mieux cette tournée en compagnie de jeunes gens. Vous savez ce que c'est. Ils sont d'abord tout feu tout flamme, mais très vite, les amis leur manquent. Il va être de retour d'une minute à l'autre. Je l'ai envoyé chercher du beurre à l'ail à la maison: ma spécialité, au persil frais.

«Clovis... ça prend bien un Français pour avoir un nom pareil!», que je ronchonne.

— Zoé se fera certainement un plaisir d'accompagner Clovis, prédit mon père qui vendrait son âme pour une langoustine.

Le voyage en général et cette réception en particulier m'ayant coupé les jambes, je m'abats sur une chaise comme une mouette épuisée sur un récif. Une des pochettes de mon sac à dos s'ouvre et un papier choit sur le carrelage. Ma mère le rafle.

— Tiens, tiens, on dirait que j'étais pas la seule à attendre votre retour, qu'elle insinue.

Et pour me taquiner, elle lit tout haut la fin du billet:

«J'ai si souvent pensé à toi. Je t'embrasse. Cloclo.»

Dans les anciens feuilletons, la scène aurait été ponctuée du pathétique «tatatatam» de la 5e de Beethoven; celle qui sert à signaler le coup de théâtre aux auditeurs inattentifs ou abrutis.

Charlotte et moi, on croit l'entendre ce «tatatatam» fatidique et précurseur de malheur. Il nous écorche les tympans, comme s'il pétait des décibels. De concert, on devient plus rouges que l'avalanche de homards bouillis sur le comptoir.

On s'attend à tout et même au pire.

D'un saut de carpe, j'arrache le feuillet de la main de ma mère, comme s'il s'agissait d'un billet gagnant de 6/49.

— J'espère que t'auras un peu de temps pour Clovis, badine mon père.

À sa place, j'aurais faussé ou bégayé, mais lui, non. Le ton est juste, enjoué même. Il a raté sa vocation, mon paternel. Son génie, il n'est pas dans la vente d'assurances, mais dans l'art dramatique. Les grands classiques, il les aurait interprétés les doigts dans le nez (surtout Cyrano de Bergerac!). Chapleau aussi a l'air détendu. «Ils ont un sang froid extraordinaire ou la mémoire courte», que je désespère.

Aucun autre commentaire n'est émis sur le billet doux. L'incident est clos, sans plus. Chapleau et mon père font un brin de toilette à l'évier, ma mère sort les assiettes, Bobichard extrait deux bouteilles d'un sac à poignées.

— Pour bien faire les choses, j'ai également apporté ce petit blanc de ma cuvée. Vous allez me faire l'honneur d'y goûter! qu'il s'émoustille.

— Vous nous gâtez! se récrie mon père aussi conquis par notre voisin à l'accent pointu, qu'il l'avait été par le général de Gaulle quand celui-ci a crié «Vive le Québec libre!», du haut de son balcon et de ses 194 centimètres. Il a gardé l'événement sur vidéo et, quand il le revisionne, il en a encore la pomme d'Adam qui fait du yoyo. C'est qu'il est patriotique mon père, mais son vrai talon d'Achille se situe à la hauteur de la bedaine! Quand la bouffe vient de l'océan, il en est deux fois plus friand.

Donc, chacun s'active. Ma mère distribue les coupes, Bobichard verse le vin, mon père plie les serviettes, Chapleau avance les chaises. Le «Je t'embrasse. Cloclo» jeté à bout portant par ma mère, n'a pas plus d'effet qu'un «Comment vas-tu? Très bien, merci!».

Je vous le dis, j'en reviens pas! Charlotte est autant estomaquée. Quoique, peu à peu, son agressivité prime. Elle attend le moment qu'on soit seules pour m'invectiver proprement. Ça va être le grand rabâchage, sans intermède. Quand elle pense à son beau Martin Lebeau qu'elle a négligé une fin de semaine, soi-disant pour une question de vie ou de mort, elle a envie de m'arracher les yeux avec une fourchette à escargots. Parce que, de toute évidence, elle déduit que je me suis payée sa tête, sinon mon père et Chapleau auraient réagi, hein? Alors qu'ils n'ont pas eu un cillement, un sursaut, un rictus, une déglutition. Rien. Elle ne croit pas à leur talent de comédiens, elle croit plutôt au mien, ou à ma bêtise, ce qui n'est guère mieux et pas plus excusable à ses yeux. À travers ses verres fumés, sa prunelle est en lance-flammes. Elle essaie de se contenir, mais son humeur est si massacrante qu'elle n'aura pas besoin d'ustensiles pour décortiquer son homard.

Un léger toc-toc.

— Ah! Clovis qui revient. .. note M. Bobichard.

Et la porte s'ouvre sur mon plus beau fantasme, celui-là même qui est broché au pied de mon lit: le poster en noir et blanc de James Dean. Il est là devant moi, en complet crème fripé, chemise bleu clair et cravate bleu foncé. Ses cheveux sont d'un blond châtain, ses yeux tristes et doux. Il a un petit air blasé et une mèche rebelle sur le côté. Son laisser-aller incite à tout laisser aller.

— Salut! qu'il lâche familièrement.

Et moi, je me dis qu'il n'y a rien que je souhaiterais davantage qu'on soit familiers, lui et moi, moi et lui, tous les deux, enceinte (pardon, ensemble!), réunis, pour la vie, pour le meilleur et le moins pire. Oui, je le veux!

Là, Charlotte aurait raison d'affirmer que je perds le nord et que je romance à outrance. Le hic, c'est qu'elle aussi est en transe. Elle ne songe même pas à tourner son bracelet gravé «Allergie à la pénicilline», d'un bord, et «Martin pour toujours», de l'autre.

Vous me direz qu'on tombe facilement dans les pommes, toutes les deux; que devant les jumeaux Chapleau, on a fait pareil. Eh ben, j'avouerai que les derniers spécimens rencontrés sortent de l'ordinaire. On connaît une période faste, Charlotte et moi; nos vaches grasses, en quelque sorte. Alors, vaut mieux en profiter pendant que les astres sont avec nous; qui sait? l'avenir ne nous réserve peut-être que des «désastres»!

M. Bobichard fait les présentations.

Clovis s'avance dans ses souliers à semelles de crêpe. (Charlotte et moi, on en est retournées comme des crêpes!) Sa cravate est mal ficelée, sa voix un peu fêlée.

— Enchanté, qu'il fait.

«Mets-en!», que je défaillirais. Mais je me ressaisis. Jamais laisser paraître son extase plus de quelques secondes.

Et puis, tout le monde s'assoit pour festoyer. On parle et on se régale. Doublement en ce qui me concerne, étant donné que je fais face à Clovis. Clovis... je trouve maintenant son nom pittoresque. La tour Eiffel et les Champs-Élysées en concentré! J'apprends que son lycée, qui équivaut à mon secondaire, va bientôt débuter, alors que moi (hélas!), c'est déjà fait; mais ça tombe bien, j'ai des congés pédagogiques la semaine prochaine et je vais les lui consacrer. «Épatant!», qu'il répond. «Tu parles, Charles!», que j'ai envie de répliquer à la parisienne. Je sens que je vais progresser en français, cette année. Ça va devenir ma matière forte, la langue. Je compte même m'octroyer quelques cours intensifs, avant que Clovis ne regagne la vieille France! Ensuite, on va entreprendre une correspondance transatlantique, auprès de laquelle Jean-Paul Sartre et Simone de Beauvoir (deux grands écrivains français) n'auront échangé que des cartes postales. J'ai la culture à fleur de peau. Un échange-étudiant bien placé et hop! je suis parée pour le Goncourt!

— J'aurais aimé visiter La Ronde, mais mon père dit qu'elle est fermée depuis quinze jours... s'assombrit Clovis

— Faudra que tu reviennes au printemps. Je te montrerai tout et même davantage, que je promets.

Super-soirée. Naturellement, elle le serait encore plus si Clovis et moi, on était seuls, avec seulement une chandelle entre nous. M'enfin... Faut pas forcer sa chance. La savourer sans se presser.

Au bout de la veillée, on a tant bouffé que trois gros sacs sont bondés de carcasses. Mon père dit qu'il va les mettre au chemin, vu que les éboueurs passent demain.

— Ne vous donnez pas cette peine, Clovis et moi, on va les déposer en sortant, l'oblige M. Bobichard. À ce propos, vous avez un meilleur service que moi, mais j'entends me plaindre à la voirie. Parce que ma propriété fait l'angle et que je possède deux entrées, figurez-vous que j'ai un mal de chien à faire ramasser mes ordures. D'une rue à l'autre, les camions se renvoient la balle. Résultat: mes résidus restent là. Tandis que j'y pense: vendredi dernier, comme je m'absentais pour deux jours, je voulais être certain que mon sac soit ramassé et je me suis permis de le déposer avec le vôtre...

La moumoute de travers, il poursuit l'exposé de ses revers sanitaires en trois exemplaires. Mais moi, mon ordinateur personnel a des ratés. Il y a des données qui s'entrechoquent, avec effet rétroactif.

Le sac d'ordures appartenait à M. Bobichard. Par ricochet, le mot trouvé dedans lui était destiné. «J'ai si souvent pensé à toi. Je t'embrasse. Cloclo.» Cloclo, pour Clovis, bien sûr! Son fils qui se préparait à lui rendre visite!

J'en ai une montée d'adrénaline jusqu'aux dents de sagesse. Je me mordille l'intérieur des joues, pour garder une contenance. J'ai quasiment autant envie d'embrasser le père Bobichard que son fils.

Ça me fait l'effet d'une écharde qu'on vient de m'extraire de dessous un ongle. Parfois je la sentais, parfois non. Mais elle était là, toujours prête à m'élancer quand j'appuyais sur la partie sensible. À présent qu'on me l'a arrachée, je pourrais marcher sur les mains!

Côté Charlotte, la remarque de M. Bobichard plane d'abord un moment, puis elle se pose aussi délicatement qu'un Boeing en difficulté, sans train d'atterrissage. Charlotte en éprouve un bruyant borborygme, suivi d'un réflexe qui consiste à m'administrer un violent coup de pied sous la table. J'encaisse, je l'ai pas volé.

— Bon, j'vais mettre les voiles, dit Chapleau en se levant. Faut qu'on se voie pour la pêche sur la glace en mars, François! J'ai une cabane à Sainte-Anne-de-la-Pérade. Cette année, je sens que le poulamon va se reproduire en fou!

— J'dis pas non, acquiesce mon père.

— La pêche sur la glace… murmure Clovis. J'aimerais bien essayer ça. Dommage, je crois pas pouvoir revenir au Québec à temps.

— T'en fais pas, ricane Charlotte. Avec Zoé, pas besoin d'attendre au printemps pour attraper un super poisson d'avril. Même qu'elle les capture tout apprêtés, sans queue ni tête!

Elle peut ironiser à tour de bras, la Charlotte. D'accord, j'ai fait quelques vagues autour de la partie de pêche de mon père. Mais cette fois, je me sens le nez creux comme le lac Titicaca. Je laisserai pas à Charlotte, l'aubaine de me le remettre dans le caca, salamandre, non! Je veux bien ingurgiter un litre d'huile de foie de morue, si mon histoire avec Clovis se termine en queue de poisson!

Sceptiques? Vous ai-je dit que, selon la tradition, mon arrière-grand-père s'appelait Neptune? Quand t'as le dieu de la mer de ton bord, tu ramasses pas une simple écrevisse!

CLAIRE

DAIGNAULT

Claire Daignault écrit des romans dans lesquels les jeunes se reconnaissent à tous coups. Tellement qu'elle doit se promener incognito pour ne pas se faire enlever ou étriper, selon le cas.

Elle compte parmi nos auteurs contemporains les plus modestes. L'économie de mots qu'elle propose dans cette présentation, le confirme.

Son seul défaut : elle n'est pas sérieuse pour cinq cents.

**Collection Conquêtes
dirigée par Robert Soulières**

1. Aller ~~retour~~
de Yves Beauchesne et David Schinkel
Prix Cécile-Rouleau de l'ACELF 1986
Prix Alvine-Bélisle 1987

2. La vie est une bande dessinée
nouvelles de Denis Côté

3. La cavernale
de Marie-Andrée Warnant-Côté

4. Un été sur le Richelieu
de Robert Soulières

5. L'anneau du Guépard
nouvelles de Yves Beauchesne et David Schinkel

6. Ciel d'Afrique et pattes de.gazelle
de Robert Soulières

7. L'affaire Léandre et autres nouvelles policières
de Denis Côté, Paul de Grosbois, Réjean Plamondon
Daniel Sernine et Robert Soulières

8. Flash sur un destin
de Marie-Andrée Clermont
en collaboration avec un groupe d'élèves

9. Casse-tête chinois
de Robert Soulières
Prix du Conseil des Arts du Canada, 1985